GHOST STORIES

OUTRAS HISTÓRIAS DE FANTASMAS

M.R. James

Pandorga

Todos os direitos reservados
Copyright © 2021 by Editora Pandorga

Direção Editorial
Silvia Vasconcelos

Produção Editorial
Equipe Editora Pandorga

Tradução
Raquel Casini

Revisão
Gabriel Lago
Daniela Vilarinho

Capa e Projeto Gráfico
Lumiar Design

SUMÁRIO

Jamesian – o método M. R. James de contar histórias [7]

Um conto escolar [11]

O jardim de rosas [23]

O Tratado Middoth [39]

Invocando runas [63]

Os assentos da Catedral Barchester [95]

O fim de Martin [121]

Sr. Humphreys e sua herança [161]

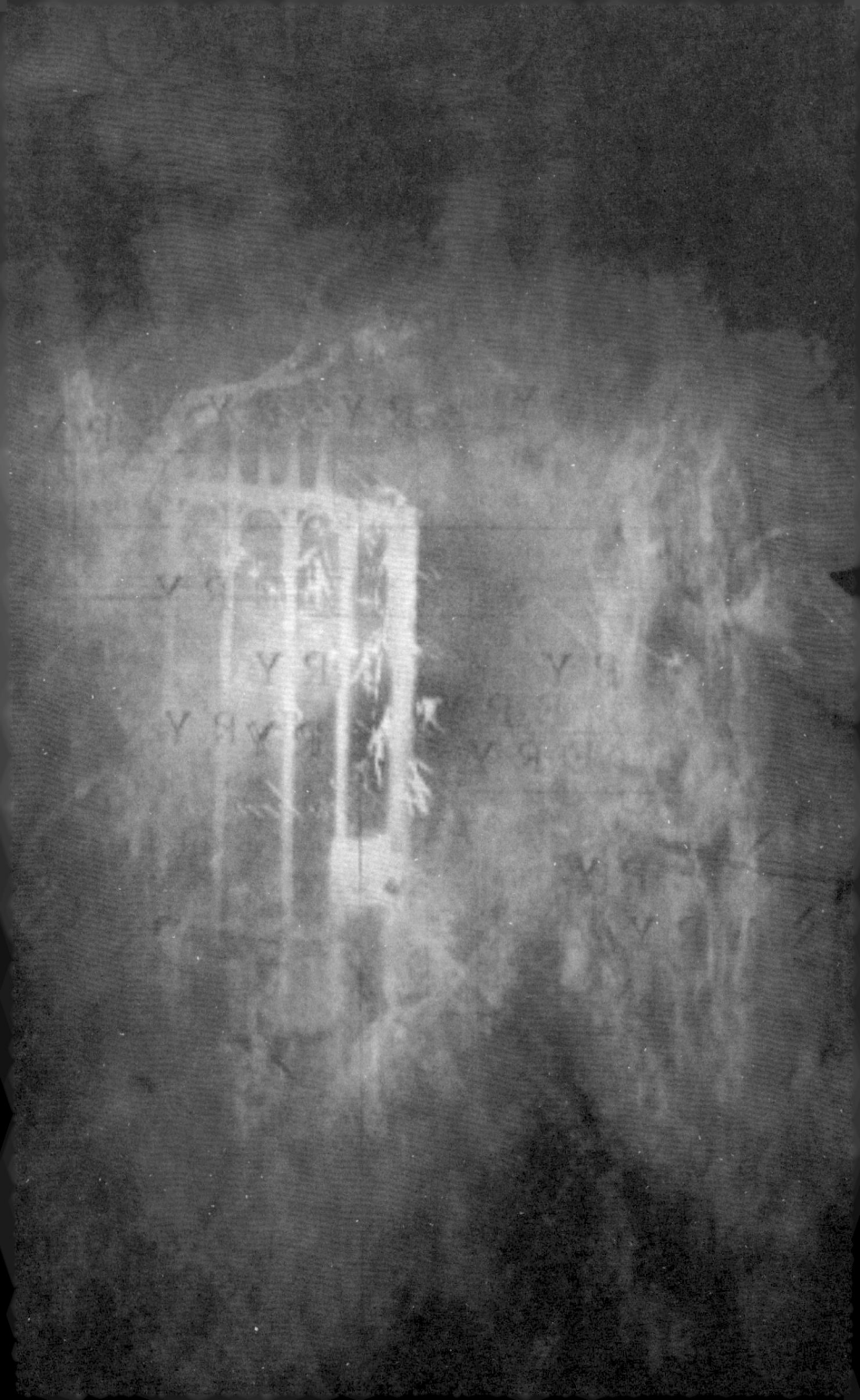

JAMESIAN – O MÉTODO M. R. JAMES DE CONTAR HISTÓRIAS

O termo "Gótico" representa uma grande variedade de significados, mas em um contexto literário, geralmente se refere a um grupo de romances escritos entre os anos 1760 e 1820. Apesar de ser um movimento com características, por vezes, distintas entre si, pode-se afirmar que a literatura gótica é, em grande parte, ligada ao terror e ao medo — padrões que os escritores ingleses estabeleceram em conjunto, que poderiam variar de um romance para outro, mas que representavam sua essência.

Algumas características vêm à mente quando se pensa no gótico: cenários medievais, paisagens naturais (e horripilantes), personagens estereotipados e a representação do sobrenatural. Essa foi a fonte para as clássicas histórias de fantasmas que atraiu muitos autores dessa época: foi no romance gótico que os fantasmas começaram a se tornar figuras literárias comuns. Uma fonte inesgotável, por sinal, já que o apelo do conto sobrenatural permanecerá enquanto tivermos medo daquilo que não conhecemos.

Segundo James, as melhores histórias de terror, como uma fórmula, devem sempre contar com alguns elementos primordiais: o protagonista deve vir de um meio urbano, uma cidade antiga ou do interior, ser um estudioso conservador e trazer consigo um livro velho amaldiçoado, ou algo parecido, que seja o ponto de partida para perseguição de todo fantasma.

Essa fórmula ficou conhecida como Jamesian – de seu nome, James –, e todos os contos clássicos do autor incluem todos os pontos que ele descreveu em seu método de contar histórias. Esses romances são geralmente conhecidos como "clássicos jamesianos". Outro requisito apontado pelo autor é que o fantasma precisa ser necessariamente odioso: o argumento é de que aparições amáveis devem ser resguardadas aos contos de fadas, não a histórias de fantasmas.

Além disso, James queria que os leitores tivessem uma experiência o mais realista possível, como se realmente o acontecimento na história pudesse ocorrer a eles, caso não tomassem os devidos cuidados. Com esse fim, James era meticuloso na descrição dos cenários, na aparência do fantasma, em como ele mata sua presa; tudo com grande detalhamento.

As histórias de James têm sucesso até os dias de hoje porque pairam nas margens do desconhecido. Suas imagens memoráveis lembram os terrores noturnos da infância: a figura vislumbrada na praia solitária, a voz malévola que sussurra em seu ouvido em uma escada escura. A palavra de ordem de James era "reticência"; o visto pela metade, o implícito, a ameaça de violência nos assusta em um nível mais profundo: nós temos medo de sentir medo.

Os primeiros seis dos sete contos foram produções de Natal, o primeiro ("Um conto escolar") tendo sido inventado para o benefício da King's College Choir School. "Os assentos da Catedral Barchester" foi publicado na Contemporary Review; "Sr. Humphreys e sua herança" foi escrito para preencher o volume. Em "Um conto escolar", eu tinha Temple Grove, East Sheen em mente; em "O Tratado Middoth", a Biblioteca da Universidade de Cambridge; em "O fim de Martin", Sampford Courtenay em Devon. A Catedral de Barchester é uma mistura de Canterbury, Salisbury e Hereford.

M. R. James

Um conto escolar

Dois homens num espaço para fumantes conversavam sobre seus dias de escola privada.

— Na *nossa* escola — disse A. —, tivemos uma pegada de fantasma na escada. E como era? Oh, muito pouco convincente. Tinha o formato de um sapato com ponta quadrada, se bem me lembro. A escada era de pedra. Nunca ouvi nenhuma história sobre o fato. Parece estranho quando penso nisso. Por que ninguém inventou uma? eu me pergunto.

— Nunca se sabe com meninos. Eles têm uma mitologia própria. Aliás, há um assunto para o senhor: "O Folclore das Escolas Privadas".

— Sim, a produção é bastante escassa, no entanto. Imagino que, ao investigar o ciclo de histórias fantasmagóricas que os meninos de escolas privadas contam uns aos outros, por exemplo, todos eles se revelariam versões altamente compactadas de histórias tiradas de livros.

— Hoje em dia, o *Strand* e *Pearson's*, e assim por diante, poderiam ser amplamente recriados.

— Sem dúvida, elas não nasceram nem foram pensadas na *minha* época. Vamos ver. Pergunto-me se sou capaz de me lembrar das principais que me contaram. Primeiro, havia a casa com um quarto em que uma série de pessoas insistia em passar a noite e cada uma delas pela manhã foi encontrada ajoelhada em um canto, tendo apenas tempo de dizer "Eu o vi" e logo morrer.

— Não era aquela casa em Berkeley Square?

— Ouso dizer que era. Então houve o homem que ouviu um barulho no corredor à noite, abriu a porta e viu alguém rastejando de quatro em sua direção com o olho pendurado em seu rosto. Além disso, deixe-me pensar... Sim! O quarto onde um homem foi encontrado morto na cama com uma marca de ferradura na testa, e o chão sob a cama também estava coberto com marcas de ferradura. Não sei por quê. Também havia a senhorita que, ao trancar a porta do quarto em uma casa estranha, ouviu uma voz fina entre as cortinas da cama dizendo: "Agora passaremos a noite aqui". Nenhuma delas teve qualquer explicação ou sequência. Pergunto-me se elas continuam, essas histórias.

— Oh, provavelmente... Com acréscimos das revistas, como eu disse. O senhor nunca ouviu falar de um fantasma de verdade em uma escola privada? Eu creio que não; nunca encontrei alguém que houvesse.

— Pela maneira como disse isso, penso que *o senhor* tenha.

— Realmente não sei, mas isso é o que eu tinha em mente. Ocorreu na minha escola privada, trinta anos atrás, e não tenho nenhuma explicação para isso:

A escola que cito ficava perto de Londres. Foi estabelecida em uma casa grande e razoavelmente velha, uma grande construção branca com jardins muito bonitos. Havia grandes cedros no jardim, como existem em muitos dos jardins mais antigos no vale do Tâmisa, e antigos ulmeiros nos três ou quatro campos que eram usados para nossos jogos. Acho que provavelmente era um lugar bastante atraente, mas os meninos raramente permitem que suas escolas tenham características toleráveis.

Fui para a escola em setembro, logo após o ano de 1870, e entre os meninos que chegaram no mesmo dia estava um que acompanhei: um menino da Escócia, a quem chamarei McLeod. Não preciso perder tempo descrevendo-o. O principal fato é que o conheci muito bem. Ele não era um garoto excepcional em todas as questões, não era particularmente bom em livros ou jogos, mas combinava comigo.

A escola era grande: devia haver ali algo entre cento e vinte a cento e trinta meninos, como regra, e por isso uma equipe considerável de professores era necessária e havia mudanças bastante frequentes entre eles.

Certo ano, talvez tenha sido o meu terceiro ou quarto, um novo professor apareceu. Seu nome era Sampson. Ele era um homem alto, corpulento, pálido e de barba negra. Acho que gostávamos dele:

ele viajava muito e contava histórias que nos divertiam durante as caminhadas na escola, de modo que havia entre nós certa competição para ouvi-lo. Também lembro... Nossa, mal pensei nisso desde então!... Ele tinha um pingente na corrente do relógio que um dia atraiu minha atenção, e ele me deixou examiná-lo. Era, suponho agora, uma moeda bizantina de ouro; havia uma efígie de algum incrível imperador de um lado. O outro lado tinha sido gasto, era praticamente liso, e ele havia marcado ali, de um modo um pouco grosseiro, suas próprias iniciais, G. W. S., e uma data, 24 de julho de 1865. Sim, agora posso lembrar-me: ele me disse que a pegou em Constantinopla. Era mais ou menos do tamanho de um florim, talvez um pouco menor.

Bem, a primeira coisa estranha que aconteceu foi essa. Sampson ministrava gramática latina para nós. Um de seus métodos favoritos, talvez fosse um bom método, era fazer-nos construir frases por conta própria para ilustrar as regras que ele tentava fazer-nos aprender. Claro que isso é uma coisa que dá a um menino bobo a chance de ser impertinente: há muitos contos escolares em que isso acontece — ou pelo menos deve haver. No entanto, Sampson era um disciplinador bom demais para pensarmos em tentar isso com ele. Agora, nessa ocasião, ele nos estava ensinando como dizer *lembrando* em latim, e pediu que cada um de nós construísse uma frase trazendo o verbo *memini*, "lembro-me". Bem, a maioria de nós inventou alguma frase comum como "Lembro-me do meu pai", ou "Ele se lembra do seu livro", ou algo igualmente desinteressante. Ouso até dizer que muitos escreveram *memino librum meum* e assim por diante: porém o menino que mencionei, McLeod, estava evidentemente pensando em algo mais elaborado que isso. O resto de nós queria que nossas sentenças fossem terminadas e passássemos para outra coisa, então alguns o chutaram por baixo da mesa e eu, que estava ao lado dele, cutuquei-o e sussurrei que parecesse esperto. Mas ele não pareceu compreender. Olhei para o papel e vi que ele não havia anotado absolutamente nada. Então falei com ele novamente mais alto que antes e o repreendi fortemente por nos manter todos esperando. Isso teve algum efeito. Ele se assustou e pareceu acordar, e então, muito rapidamente, rabiscou algumas linhas em seu papel e entregou-o junto dos demais. Como foi o último, ou quase o último, a fazer, e como Sampson tinha muito que dizer aos meninos que haviam escrito *meminiscimus patri meo* e aos demais, acabou que o relógio bateu meio-dia antes de chegar a McLeod, e McLeod teve de esperar para ter sua frase corrigida.

Não havia muita coisa acontecendo lá fora quando eu saí, então esperei que ele saísse. Ele veio muito devagar e, quando chegou, imaginei que tivesse ocorrido algum tipo de problema.

— Bem — perguntei —, o que você conseguiu?

— Oh, não sei — respondeu McLeod. — Nada de mais, mas acho que Sampson não gosta muito de mim.

— Por quê? Fez algo para que ele não gostasse?

— Não — respondeu ele. — Pelo que entendi, estava tudo bem, era algo assim: *Memento*... Isso é o suficiente para lembrar e pede um caso genitivo, *memento putei inter quatuor taxos*.

— Que bobagem! — eu disse. — De onde você tirou isso? O que isso significa?

— Essa é a parte engraçada — respondeu McLeod. — Eu não tenho certeza do que isso significa. Tudo o que sei é que só me veio à cabeça e o coloquei. Eu sei o que *acho* que significa, porque, pouco antes de escrever, havia uma espécie de imagem disso na minha cabeça; acho que significa "Lembre-se do poço entre os quatro"... Como se chamam aqueles tipos de árvores escuras que têm frutas vermelhas?

— Suponho que você queira dizer sorveiras.

— Nunca ouvi falar delas — disse McLeod. — Não, eu *quis* dizer... teixos.

— Bem, e o que Sampson disse?

— Ora, ele estava muito estranho com relação a isso. Ao ler, ele se levantou, foi até a lareira e parou um bom tempo sem dizer nada, de costas para mim. E então perguntou, sem se virar e bastante quieto, "O que acha que isso significa?". Eu disse a ele o que pensei, só que não conseguia lembrar o nome da árvore boba: e então ele quis saber por que eu havia escolhido aquela frase, e tive de dizer uma coisa ou outra. Aí ele parou de falar sobre isso e me perguntou se fazia muito tempo que eu estava aqui, onde morava minha família, coisas assim, e então eu saí, mas ele não parecia muito bem.

Não me lembro de mais nada do que nenhum de nós disse sobre isso. No dia seguinte, McLeod foi para a cama com um resfriado ou algo do gênero, e passou uma semana ou mais antes que ele voltasse à escola. E, do mesmo modo, um mês passou sem que nada de perceptível acontecesse. Quer Sr. Sampson estivesse realmente surpreso, quer não, como McLeod pensou, ele não demonstrava. Tenho quase certeza, é claro, agora, de que havia algo muito curioso em seu passado, mas não vou fingir que éramos espertos o suficiente para adivinhar tal fato.

Houve outro incidente do mesmo tipo que o último que lhe contei. Várias vezes, desde aquele dia, tivemos de inventar exemplos na escola para ilustrar diferentes regras, mas nunca houve bronca alguma, exceto quando as entendíamos errado. Por fim, chegou um dia em que estávamos passando por aquelas sombrias coisas que as pessoas chamam de Sentenças Condicionais, e foi nos pedido que construíssemos uma sentença condicional, expressando uma consequência futura. Fizemos isso, certo ou errado, mostramos nossos pedaços de papel e Sampson começou a analisá-los. De repente, ele se levantou, fez um barulho estranho com a garganta e saiu rapidamente por uma porta que ficava perto de sua mesa. Ficamos ali sentados por um ou dois minutos e então... suponho que fosse errado, mas subimos, eu e um ou dois outros, para olhar os papéis em sua mesa. Claro que pensei que alguém devia ter anotado uma ou outra bobagem e Sampson tinha saído para denunciá-lo. Mesmo assim, notei que ele não havia levado nenhum dos papéis consigo quando saiu apressado. Bem, o papel de cima da mesa estava escrito em tinta vermelha, que ninguém usava, e não tinha sido escrito pelas mãos de ninguém que estava na classe. Todos olharam para o papel — McLeod e os demais — e juraram pela própria vida que não era deles. Então pensei em contar os pedaços de papel. E assim tive certeza de que havia dezessete pedaços sobre a mesa e dezesseis meninos na sala. Bem, eu dobrei o papel extra, guardei-o e acredito que o tenha agora.

E agora o senhor vai querer saber o que estava escrito nele. Era bastante simples e inofensivo, eu deveria ter dito. "*Si tu non veneris ad me, ego veniam ad te*", que significa, suponho, "Se você não vier a mim, eu irei até você".

— O senhor poderia me mostrar o papel? — interrompeu o ouvinte.

— Sim, poderia, mas há outra coisa estranha nisso. Naquela mesma tarde, tirei-o do armário; tenho certeza de que era o mesmo papel, pois havia feito uma marca nele; e não havia nenhum vestígio de escrita de qualquer tipo ali. Eu o havia guardado, como disse, e desde então tentei vários experimentos para ver se tinha sido usada tinta invisível, mas absolutamente sem resultado.

Tanta coisa para isso. Depois de cerca de meia hora, Sampson retornou, disse que não se sentia bem e que podíamos ir. Ele aproximou-se da mesa com cautela e deu apenas uma olhada no papel de cima: suponho que ele tenha pensado que estava sonhando. De qualquer forma, ele não fez perguntas.

Aquele dia foi meio-feriado, e no dia seguinte Sampson estava na escola novamente, como de costume. Naquela noite, aconteceu o terceiro e último incidente da minha história.

Nós, McLeod e eu, dormíamos num dormitório perpendicular ao edifício principal. Sampson dormia no prédio principal, no primeiro andar. Havia uma lua cheia muito brilhante. Em uma hora que eu não posso dizer exatamente, mas algum momento entre uma e duas horas, fui acordado por alguém me sacudindo. Era McLeod, e ele parecia estar num bom estado de espírito ao dizer:

— Venha! Venha! Há um ladrão entrando pela janela de Sampson.

Assim que consegui falar, perguntei:

— Bem, não devemos gritar e acordar todo mundo?

— Não, não — respondeu ele. — Não tenho certeza de quem é. Não crie caso, venha ver.

Naturalmente eu fui e olhei, e, naturalmente, não havia ninguém lá. Eu estava bastante irritado e deveria ter ofendido McLeod de vários nomes. Eu não sabia o motivo, mas parecia apenas que *havia* algo errado... Algo que me deixou muito feliz por não estar sozinho ao sentir aquilo. Ainda estávamos na janela olhando e, assim que pude, perguntei o que ele tinha ouvido ou visto, e ele respondeu:

— Não *ouvi* nada, mas, cerca de cinco minutos antes de acordar você, vi-me olhando por esta janela aqui, e havia um homem sentado ou ajoelhado no parapeito da janela de Sampson, olhando para dentro, e eu pensei que ele estivesse acenando.

— Que tipo de homem?

McLeod contorceu-se ao responder:

— Não sei, mas posso dizer-lhe uma coisa: ele era extremamente magro e parecia estar todo molhado... e — completou olhando em volta e sussurrando como se mal gostasse de se ouvir — não estou muito certo se ele estava vivo.

Continuamos conversando em sussurros por mais algum tempo e, finalmente, voltamos para a cama. Ninguém mais na sala acordou ou se mexeu durante todo o tempo. Acho que dormimos um pouco depois, mas no dia seguinte estávamos muito cansados.

E no dia seguinte o Sr. Sampson havia sumido — e não foi encontrado. Acredito que nenhum vestígio dele tenha vindo à tona desde então. Pensando bem, uma das coisas mais estranhas sobre tudo isso pareceu-me ser o fato de que nem McLeod nem eu mencionamos o que vimos a qualquer outra pessoa. É claro que não foram feitas perguntas sobre o assunto, e, se assim fosse, inclino-me a crer que não poderíamos ter respondido. Parecíamos incapazes de falar sobre isso.

— Essa é a minha história — disse o narrador. — É a única aproximação de uma história fantasmagórica ligada a uma escola que conheço, mas, ainda assim, creio, é uma aproximação de tal assunto.

A sequência disso talvez seja considerada altamente convencional, mas uma sequência existe e assim deve ser contada. Havia mais de um ouvinte na história, e, na última parte do mesmo ano, ou no seguinte, esse ouvinte estava hospedado numa casa de campo na Irlanda.

Certa noite, seu anfitrião estava revirando uma gaveta cheia de parafernálias na sala de fumo. De repente, ele colocou a mão sobre uma pequena caixa e disse:

— Agora o senhor, que sabe sobre coisas velhas, diga-me o que é.

Meu amigo abriu a caixinha e encontrou dentro dela uma fina corrente de ouro com um objeto preso a ela. Ele olhou para o objeto e então tirou os óculos para examiná-lo mais detalhadamente.

— Qual é a história disso? — perguntou.

— Estranha o suficiente — foi a resposta. — O senhor conhece a plantação de teixos no matagal? Bem, um ou dois anos atrás, estávamos limpando o velho poço que ficava aqui na clareira, e o que acha que encontramos?

— É possível que tenham encontrado um corpo? — perguntou o visitante, com uma estranha sensação de nervosismo.

— Assim foi. Além do mais, em todos os sentidos da palavra, encontramos dois.

— Meu Deus! Dois? Havia qualquer coisa que revelasse como eles foram parar lá? Essa coisa foi encontrada com eles?

— Foi. Entre os trapos de roupas que estavam em um dos corpos. Um mau negócio, seja lá qual foi sua história. Um corpo tinha os braços apertados ao redor do outro. Eles deviam estar lá havia trinta anos ou mais… Bastante tempo antes de virmos até este lugar. Você pode pensar que enchemos o poço rápido o suficiente. Acha que significa algo o que está gravado naquela moeda de ouro que está aí?

— Acho que sim — disse meu amigo, segurando-a contra a luz, mas leu-a sem muita dificuldade. — Parece ser G. W. S., 24 de julho de 1865.

O JARDIM DE ROSAS

Sr. e Sra. Anstruther tomavam café da manhã na sala da Mansão Westfield, no condado de Essex. Eles estavam fazendo planos para o dia.

— George — disse a Sra. Anstruther —, acho melhor levar o carro para Maldon e ver se consegue alguma daquelas coisas de tricô que falei que serviriam para minha barraca no bazar.

— Bem, se quiser, Mary, é claro que posso fazer isso, mas eu já tinha meio combinado de jogar uma partida com Geoffrey Williamson esta manhã. O bazar só vai acontecer na quinta-feira da próxima semana, não?

— O que uma coisa tem que ver com a outra, George? Eu deveria ter pensado que você teria adivinhado que, se eu não conseguir as coisas que desejo em Maldon, terei de escrever para todos os tipos de lojas da cidade, e elas certamente enviarão algo bastante inadequado no preço ou na qualidade na primeira vez. Se você realmente marcou um compromisso com Sr. Williamson, é melhor mantê-lo, mas devo dizer que poderia ter me avisado.

— Oh, não, não, não foi realmente um compromisso. Entendo perfeitamente o que quer dizer. Eu vou. E o que você pretende fazer?

— Ora, quando o trabalho da casa estiver organizado, devo cuidar do planejamento do meu novo jardim de rosas. A propósito, antes de partir para Maldon, gostaria que apenas levasse Collins para ver o lugar que escolhi. Você sabe qual é, certamente.

— Bem, não tenho certeza se sei, Mary. É na extremidade superior, em direção à cidade?

— Meu Deus, não, meu caro George. Achei que tivesse deixado isso bem claro. Não. É aquela pequena clareira perto do caminho de arbustos que segue em direção à igreja.

— Ah, sim, onde dissemos que deve ter havido uma casa de veraneio antes, o lugar com os antigos bancos e o poste. Mas você acha que há bastante sol ali?

— Meu caro George, permita-me *um pouco* de bom senso e não me culpe por todas as suas ideias sobre casas de veraneio. Sim, haverá muito sol quando nos livrarmos de alguns desses arbustos. Eu sei o que vai dizer, e tenho tão pouco desejo quanto você de podar o lugar. Tudo o que quero que Collins faça é retirar os antigos bancos, o poste e outras coisas antes de eu sair daqui a uma hora. E eu espero que você consiga fazer logo. Depois do almoço, creio que devo continuar com meu esboço da igreja, e, se quiser, pode ir em direção ao caminho ou...

— Ah, uma boa ideia... Muito boa! Sim, você termina esse esboço, Mary, e eu ficaria feliz com um jogo.

— Eu ia dizer que você pode visitar o bispo, mas suponho que não adianta fazer sugestão *alguma*. E agora prepare-se, ou metade da manhã já terá passado.

O rosto do Sr. Anstruther, que apresentava indícios de prolongamento, retraiu-se novamente, e ele saiu apressado da sala e logo foi ouvido dando ordens no corredor. Sra. Anstruther, uma imponente dama com cerca de cinquenta primaveras, passou, após uma segunda consideração das cartas da manhã, ao serviço doméstico.

Em poucos minutos, Sr. Anstruther descobriu Collins na estufa e eles saíram a caminho do projeto do jardim de rosas. Não sei muito sobre as condições mais adequadas para esses viveiros, mas estou inclinado a acreditar que Sra. Anstruther, embora tivesse o hábito de se descrever como "uma grande jardineira", não tenha sido bem aconselhada na escolha de um local para esse propósito. Era uma clareira pequena e úmida, delimitada de um lado por um caminho e, do outro, por grandes arbustos, loureiros e outras plantas. O solo estava quase sem grama e com aspecto escuro. Restos de bancos rústicos e um velho poste de carvalho retorcido em um lugar próximo ao meio da clareira deram origem à suposição do Sr. Anstruther de que, uma vez, uma casa de verão existira ali.

Evidentemente, Collins não havia sido informado das intenções da senhora com relação a esse terreno, e, quando as confirmou pelo Sr. Anstruther, não demonstrou entusiasmo ao dizer:

— É claro que poderia retirar os bancos daqui em breve. Eles não são um enfeite para o lugar, Sr. Anstruther, e também estão podres. Olhe aqui, senhor... — Quebrou um pedaço ao completar. — Muito podres. Sim, livrar-nos deles, claro que podemos fazer isso.

— E o poste — disse Sr. Anstruther. — Esse também deve sumir.

Collins avançou, empurrou o poste com as duas mãos e depois esfregou o queixo ao dizer:

— Esse poste está firme no chão. Isso já está aqui há vários anos, Sr. Anstruther. Receio que não consiga livrar-me disso tão rápido quanto o que posso fazer com esses bancos.

— Mas sua patroa deseja especialmente que isso seja resolvido em uma hora — disse Sr. Anstruther.

Collins sorriu e balançou a cabeça lentamente ao responder:

— Permita-me, senhor, mas sinta por si mesmo. Não, senhor, ninguém pode fazer o que é impossível para si; pode, senhor? Eu poderia erguer aquele poste até depois da hora do chá, senhor, mas vou precisar de muita escavação. O que está pedindo, veja, senhor, se me desculpar por nomear isso, é que o solo seja afrouxado ao redor desse poste aqui, então o menino e eu vamos levar um tempo para fazer isso. Mas agora, esses bancos aqui — completou Collins, parecendo apropriar-se dessa parte do esquema devido à sua própria desenvoltura —, bem, posso pegar a barra e removê-los em menos de uma hora a partir de agora, se o senhor permitir. Só que...

— Só que o quê, Collins?

— Bem, não me cabe ir contra as ordens, não mais do que o que é para o senhor, ou para qualquer outra pessoa — isso foi adicionado um tanto apressadamente —, mas perdoe-me, senhor, este não é o lugar que eu teria escolhido para um jardim de rosas. Ora, veja os arbustos e folhagens, como eles impedem a luz do...

— Ah, sim, mas temos de nos livrar de alguns desses, é claro.

— Oh, de fato, livrar-nos deles! Sim, com certeza, mas... Peço perdão, Sr. Anstruther...

— Sinto muito, Collins, mas devo retirar-me agora. Ouço o carro à porta. Sua patroa explicará exatamente o que deseja. Vou dizer a ela, então, que você concordou com limpar os bancos de uma só vez e o local durante esta tarde. Bom dia.

Collins foi deixado esfregando o queixo. Sra. Anstruther recebeu os fatos com algum descontentamento, mas não insistiu em nenhuma mudança de plano.

Às quatro horas daquela tarde, ela havia dispensado seu marido para seu golfe, tinha lidado fielmente com Collins e com os outros deveres do dia e, depois de colocar um banco de acampamento e um guarda-chuva em um local apropriado, tinha acabado de se estabelecer para seu esboço da igreja como vista dos arbustos, quando uma criada veio correndo pelo caminho para relatar que a Srta. Wilkins tinha chamado. Srta. Wilkins era um dos poucos membros remanescentes da família de quem os Anstruthers haviam comprado a propriedade Westfield alguns anos antes. Ela tinha permanecido na vizinhança, e essa era provavelmente uma visita de despedida.

— Você poderia pedir à Srta. Wilkins que se junte a mim aqui — disse a Sra. Anstruther, e logo a Srta. Wilkins, uma pessoa de idade madura, aproximou-se.

— Sim, vou embora amanhã e poderei dizer a meu irmão o quão tremendamente a senhora melhorou o lugar. Claro que ele não pode deixar de se lamentar apenas um pouco pela velha casa, como eu mesma faço, mas o jardim está realmente encantador agora.

— Estou tão feliz que a senhorita diga isso. Mas não ache que terminamos nossas melhorias. Deixe-me mostrar-lhe onde desejo colocar um jardim de rosas. É por aqui.

Os detalhes do projeto foram colocados diante de Srta. Wilkins durante algum tempo, mas seus pensamentos estavam, evidentemente, em outro lugar.

— Sim, encantador — disse ela, finalmente, um pouco distraída. — Mas sabe, Sra. Anstruther, receio estar pensando nos velhos tempos. Estou *muito* feliz por ter visto exatamente esse local de novo antes que a senhora o alterasse. Frank e eu tivemos uma história e tanto sobre este lugar.

— É mesmo? — perguntou Sra. Anstruther sorrindo. — Conte-me o que era. Algo peculiar e charmoso, tenho certeza.

— Não tão charmoso, mas sempre me pareceu curioso. Nenhum de nós ficava aqui sozinho quando éramos crianças, e não tenho certeza se me devo preocupar com isso agora em certos estados de espírito. É uma daquelas coisas que dificilmente podem ser colocadas em palavras, pelo menos por mim, e que soam bastante tolas se não forem devidamente expressas. Posso dizer depois de uma situação que nos deu... Bem, quase um horror do lugar quando estávamos sozinhos. Foi próximo da noite de um dia de outono muito quente, quando Frank tinha desaparecido misteriosamente sobre o terreno e eu estava procurando por ele na intenção de buscá-lo para o chá. Indo por este caminho, de repente o vi, não se escondendo nos arbustos, como eu esperava, mas sentado no banco na velha casa de veraneio. Havia uma casa de veraneio de madeira aqui, a senhora sabe. Ele estava no canto, sonolento, mas com um olhar tão terrível em seu rosto, que eu realmente pensei que ele pudesse estar doente ou até mesmo morto. Corri até ele e o sacudi, disse-lhe para acordar; e foi o que ele fez, com um grito. Garanto que o pobre rapaz parecia quase fora de si com medo. Ele me apressou para a casa e estava em um estado terrível durante toda aquela noite, quase sem dormir. Alguém teve de ficar com ele, até onde me lembro. Ele melhorou muito em breve, mas por dias não fui capaz de fazê-lo dizer o motivo de tal condição. Por fim, ele revelou que estivera realmente dormindo e tivera uma espécie de sonho estranho e desconexo. Ele nunca *viu* muito do que estava ao seu redor, mas *sentiu* as cenas de modo mais vivo. Primeiro percebeu que estava em uma sala grande com um número de pessoas nela e que havia alguém oposto a ele que era "muito poderoso". E ele estava respondendo a perguntas que considerava muito importantes, e, sempre que respondia a uma pessoa, a pessoa oposta a ele ou outra pessoa na sala, como ele disse, parecia inventar algo contra ele. Todas as vozes soavam-lhe muito distantes, mas ele se lembrava de pedaços das coisas que foram ditas, como "Onde o senhor estava no dia 19 de outubro?" e "Esta é a sua caligrafia?", e assim por diante. Eu posso ver agora, é claro, que ele estava sonhando com algum julgamento, mas nunca lhe autorizavam ver os papéis, e era estranho que um menino de oito anos pudesse ter uma ideia tão vívida do que acontecia num tribunal. O tempo todo ele disse sentir a mais intensa ansiedade, opressão e desesperança, embora eu creia que ele não tenha usado tais palavras comigo. Então, depois disso, houve um intervalo em que ele se lembrou de estar terrivelmente inquieto e miserável, e então veio outro tipo de imagem, quando percebeu que havia saído de casa em uma manhã escura e feia com um pouco de neve. Foi em uma rua, ou em alguma viela entre as casas, ele sentiu que havia quantidades e quantidades de pessoas lá também e que ele tinha sido arrastado sob alguns degraus de madeira rangendo e estava em uma espécie de plataforma, mas a única coisa que ele podia realmente ver era uma pequena fogueira queimando em algum lugar perto dele. Alguém que estava segurando seu braço largou-o e foi em direção à fogueira, e, então, ele disse que o pavor que sentia era pior do que em qualquer outra parte de seu sonho e que, se eu não o tivesse acordado, ele não sabia o que poderia ter acontecido com ele. Um sonho curioso para uma criança, não é? Bem, sim. Deve ter sido no final do ano que Frank e eu estávamos aqui e eu estava sentada na sombra da árvore quase ao anoitecer. Percebi que o sol estava se pondo e disse a Frank que corresse para ver se o chá estava pronto enquanto eu terminava um capítulo do livro que estava lendo. Frank demorou por mais tempo do que eu esperava, e estava escurecendo tão rápido, que tive de me curvar sobre o livro para lê-lo. De repente, percebi que alguém de dentro do caramanchão sussurrava para mim. As únicas palavras que consegui distinguir, ou pensei que conseguia, foram algo como "Puxe, puxe. Eu vou empurrar, você puxa".

Depois de uma breve pausa, Srta. Wilkins continuou:

— No início, senti algo como medo. A voz, que era pouco mais que um sussurro, soou tão rouca e zangada, mas como se viesse de muito, muito longe, assim como foi no sonho de Frank. Mas, embora estivesse assustada, tive coragem suficiente para olhar em volta e tentar descobrir de onde vinha o som. E... Isso parece muito tolo, eu sei, mas ainda é o fato: tive certeza de que era mais forte quando encostei meu ouvido em um velho poste que estava próximo da ponta do banco. Eu tinha tanta certeza disso, que me lembro de ter feito algumas marcas no poste, o mais profundo que pude com a tesoura de minha cesta. Não sei por quê. Pergunto-me, aliás, se esse não é o mesmo poste... Bem, sim, pode ser: *há* marcas e arranhões nele, mas não se pode ter certeza. De qualquer forma, era igualzinho ao tal poste esse que está aí. Meu pai ficou sabendo que nós dois tivemos um susto próximo ao caramanchão, e ele mesmo foi até lá uma noite depois do jantar, e o caramanchão foi derrubado em pouquíssimo tempo. Lembro-me de ter ouvido meu pai falando sobre isso com um velho que fazia trabalhos no local, e o velho dizia: "Não tema por isso, senhor: ele é rápido o suficiente lá, já que ninguém o pega e o liberta". Quando, porém, perguntei quem era, não obtive uma resposta satisfatória. Possivelmente meu pai ou minha mãe me contaram mais sobre isso quando cresci, mas, como a senhora sabe, os dois morreram quando éramos ainda muito crianças. Devo dizer que sempre me pareceu muito estranho, e perguntei muitas vezes às pessoas mais velhas da vizinhança se sabiam de algo estranho, mas ou não sabiam de nada, ou não me diziam. Querida, querida, como tenho aborrecido a senhora com minhas lembranças infantis! Porém, de fato, aquele pergolado preencheu muito nossos pensamentos durante um tempo. A senhora pode imaginar, não é, o tipo de histórias que inventamos para nós mesmos. Bem, querida Sra. Anstruther, preciso ir agora. Espero que nos encontremos na cidade durante este inverno, não?

Etc. Etc.

Os bancos e o poste foram retirados e removidos um após o outro naquela tarde. O clima do final do verão é proverbialmente traiçoeiro e, durante a hora do jantar, Sra. Collins mandou pedirem um pouco de conhaque, pois seu marido havia pegado um resfriado horrível e ela estava com medo de que ele não pudesse estar bem no dia seguinte.

As reflexões matinais da Sra. Anstruther não foram totalmente calmas. Ela tinha certeza de que alguns valentões haviam entrado na plantação durante a noite.

— E outra coisa, George: assim que Collins estiver de volta, diga-lhe que faça algo com as corujas. Nunca ouvi nada parecido com elas e tenho certeza de que uma se aproximou e pousou em algum lugar do lado de fora da nossa janela. Se tivesse entrado, eu teria perdido o juízo. Pelo barulho, parecia ser um pássaro muito grande. Você não ouviu? Não, claro que não, estava dormindo como sempre. Mesmo assim, devo dizer, George, não parece que sua noite tenha sido muito boa.

— Minha querida, sinto como se outra igual fosse deixar-me maluco. Você não tem ideia dos sonhos que tive. Não pude falar deles quando acordei e, se este quarto não fosse tão claro e ensolarado, não seria tão fácil pensar neles agora mesmo.

— Bem, realmente, George, isso não é muito comum com você, devo dizer. Você deve ter... Não, você só comeu o que fiz ontem... A menos que tenha tomado chá naquele clube miserável. Foi isso?

— Não, não. Nada além de uma xícara de chá e um pouco de pão com manteiga. Eu realmente gostaria de saber como pude ter um sonho como esse... Suponho que as pessoas constroem seus próprios sonhos a partir de um monte de pequenas coisas que têm visto ou lido. Olhe aqui, Mary, era como... Se isso não aborrecê-la...

— *Desejo* ouvir o que era, George. Conte-me se lembrar o suficiente.

— Tudo bem. Devo dizer que, de certo modo, não era como os outros pesadelos, porque realmente não *vi* ninguém que falasse comigo ou me tocasse, mas mesmo assim fiquei terrivelmente impressionado com a realidade de tudo aquilo. Primeiro eu estava sentado; não, movia-me em uma espécie de sala de decoração velha com painéis. Lembro que havia uma lareira, muitos papéis queimados nela, e eu estava muito ansioso com alguma coisa. Havia outra pessoa, um criado, suponho, porque me lembro de dizer a ele "Cavalos, tão rápido quanto conseguir", e então esperar um pouco. Em seguida ouvi várias pessoas subindo as escadas e um barulho como passos em um piso de madeira, e, então, a porta se abriu, e tudo o que eu estava esperando aconteceu.

— Sim, mas o que era?

— Veja, não sei dizer. Era o tipo de choque que parece incomodar em um sonho. Ou você acorda, ou tudo fica escuro. Isso foi o que aconteceu comigo. Então eu estava em uma grande sala de paredes escuras com painéis, eu acho, como a outra, e várias pessoas. E eu estava evidentemente...

— Suponho que estivesse em seu julgamento, George.

— Nossa! Sim, Mary, eu estava! Mas você sonhou com isso também? Que estranho!

— Não, não. Não dormi o suficiente para isso. Vá em frente, George, e eu contarei depois.

— Sim. Bem, eu *estava* sendo julgado, por minha vida, não tenho dúvida, considerando o estado em que estava. Não havia ninguém falando por mim, e em algum lugar havia um sujeito muito terrível no banco. Eu deveria ter dito antes, ele só parecia estar me acusando de maneira muito injusta, distorcendo tudo o que eu dizia e fazendo as mais abomináveis perguntas.

— Sobre o quê?

— Ora, datas em que estive em determinados lugares, cartas que supostamente escrevi e por que destruí alguns papéis. Lembro-me de suas risadas com as respostas que dei de uma forma que me assustou bastante. Não parece muito, mas posso dizer-lhe, Mary, foi realmente terrível na hora. Tenho certeza de que existiu tal homem alguma vez e que deve ter sido um terrível vilão. As coisas que ele disse...

— Obrigado, não desejo ouvi-las. Posso por mim mesma saber depois. Como acabou?

— Oh, contra mim. *Ele* cuidou disso. Eu gostaria de poder proporcionar, Mary, uma noção da tensão que veio depois disso, e me pareceu durar dias esperando e esperando, às vezes escrevendo coisas que eu sabia serem extremamente importantes para mim e esperando por respostas, mas nenhuma chegava. Depois disso eu saí...

— Ah!

— O que foi isso? Sabe que tipo de coisa eu vi?

— Foi um dia frio e escuro, com neve nas ruas, e um fogo queimava em algum lugar próximo a você?

— Por Deus, foi! Você *teve* o mesmo pesadelo! Não? Bem, que coisa mais estranha! Sim. Não tenho dúvidas de que foi uma execução por alta traição. Eu sei que estava deitado no feno, jogado da forma mais lamentável, e então tive de dar alguns passos; alguém estava segurando meu braço, e lembro-me de ter visto um pedaço de escada e de ouvir um barulho de muita gente. Eu realmente não acho que poderia suportar agora chegar a uma multidão de pessoas e ouvir o barulho que elas fazem ao conversar. No entanto, felizmente, não cheguei ao verdadeiro negócio. O sonho passou com uma espécie de trovão dentro da minha cabeça. Mas, Mary...

— Já sei o que vai perguntar. Suponho que este seja um exemplo de um tipo de leitura de pensamentos. Srta. Wilkins falou comigo ontem e me contou de um sonho que seu irmão tinha quando morava aqui, e algo, sem dúvida, fez-me pensar nisso quando eu estava acordada ontem à noite ouvindo aquelas horríveis corujas e aqueles homens falando e rindo nos arbustos. A propósito, eu gostaria que você visse se eles estragaram algo e fosse falar com a polícia sobre isso. Por isso suponho que meu cérebro deve ter entrado no seu enquanto você dormia. Curioso, sem dúvida, e sinto muito que lhe tenha proporcionado uma noite tão ruim. É melhor você ficar ao ar livre o máximo que puder hoje.

— Está tudo bem agora, mas eu acho que *vou* até o Lodge e ver se consigo um jogo com qualquer deles. E você?

— Tenho o suficiente que fazer esta manhã; e esta tarde, se não for interrompida, há o desenho.

— Para ser sincero... Desejo muito vê-lo terminado.

Nenhum dano foi descoberto nos arbustos. Sr. Anstruther investigou com pouco interesse o local do jardim de rosas em que o poste arrancado ainda estava deitado, e o buraco que havia ocupado permanecia sem preenchimento. Collins, após o diagnóstico feito, provou estar melhor, mas bastante incapaz de vir ao seu trabalho. Ele expressou, pela boca de sua esposa, uma esperança de que ele não tivesse feito nada de errado limpando essas coisas. Sra. Collins acrescentou que havia muita gente falando em Westfield, e os mais antigos eram os piores: pareciam pensar demais de si mesmos, já que estavam na paróquia havia mais tempo que os demais. No entanto, quanto ao que eles disseram, nada mais pôde ser determinado além de que isso havia perturbado muito Collins e que nada fazia sentido.

Recolhida na hora do almoço e por um breve período de descanso, Sra. Anstruther estabeleceu-se confortavelmente sobre sua cadeira de desenho no corredor que leva pelos arbustos até o portão lateral do cemitério. Árvores e construções estavam entre seus modelos favoritos, e aqui ela tinha bons estudos de ambos. Trabalhou duro, e o desenho estava se tornando uma coisa realmente agradável de ver quando as colinas arborizadas a oeste cobriram o sol. Ainda assim, ela teria perseverado, mas a luz mudou rapidamente, e tornou-se óbvio que os últimos toques deveriam ser adicionados no dia seguinte. Ela se levantou e virou-se para casa, parando por um tempo para se deliciar com o céu límpido e claro do oeste. Então ela passou entre os arbustos e, num ponto pouco antes do corredor, observou o gramado, parou mais uma vez, considerou a paisagem tranquila da noite e fez uma nota mental de que devia ser a torre de uma das Igrejas Roothing, aquela vista próxima do horizonte. Em seguida, um pássaro, talvez, pousou no arbusto à sua esquerda, ela se virou e começou a ver o que no início pensou ser uma máscara do Cinco de Novembro espiando entre os galhos. Ela olhou mais de perto.

Não era uma máscara. Era um rosto grande, liso e rosa. Ela se lembra das diminutas gotas de suor que brotavam de sua testa, lembra-se de como as faces estavam sem barba, e os olhos fechados. Ela também se lembra, e com uma precisão que torna o pensamento intolerável, como a boca estava aberta e um único dente apareceu abaixo do lábio superior. Quando ela olhou, o rosto recuou para a escuridão do arbusto. A segurança da casa foi alcançada, e a porta fechou-se antes que ela desabasse.

Sr. e Sra. Anstruther tinham estado por uma semana ou mais recolhidos em Brighton antes de receberem uma circular da Sociedade Arqueológica de Essex e uma pergunta sobre a posse de certos retratos históricos que desejavam incluir no próximo trabalho sobre retratos de Essex, a serem publicados sob os cuidados da Sociedade. Havia uma carta de acompanhamento do secretário que continha o seguinte trecho:

> "Estamos especialmente ansiosos para saber se os senhores possuem o original da gravura cuja fotografia incluo. Ela representa Sir — — Lorde Chefe de Justiça de Charles II, que, como os senhores devem saber, se aposentou após sua desgraça em Westfield, e supostamente morreu lá de remorso. Pode ser interessante aos senhores ouvir que uma entrada curiosa foi recentemente encontrada nos registros, não de Westfield, mas de Priors Roothing, relatando em geral que a paróquia estava tão perturbada após sua morte, que o pároco de Westfield convocou os párocos de toda a região para velá-lo, e eles o fizeram. A entrada termina dizendo:
>
> *A estaca está em um campo ao lado do cemitério de Westfield, no lado oeste.*
>
> Talvez os senhores possam nos dizer se alguma tradição nesse sentido é atual na paróquia."

Os incidentes que a "procurada fotografia" recordou produziram um severo choque na Sra. Anstruther. Foi decidido que ela deveria passar o inverno no exterior.

Sr. Anstruther, quando foi a Westfield para tomar as providências necessárias, naturalmente contou sua história ao pároco, um velho senhor que demonstrou pouca surpresa.

— Realmente tinha conseguido juntar comigo mesmo muito do que deve ter acontecido, em parte da conversa dos antigos e em parte do que vi em suas terras. É claro que também sofremos, de certa forma. Sim, foi ruim no início, como corujas, como o senhor diz, e homens falando às vezes. Certa noite foi neste jardim, e outras vezes sobre várias das casas. Mas ultimamente tem acontecido muito pouco: acho que isso vai acabar. Não há nada em nossos registros, exceto a entrada do enterro e o que por longo tempo levou a ser o lema da família. No entanto, da última vez que olhei para ele, notei que havia sido adicionado em uma mão posterior e tinha as iniciais de um de nossos responsáveis tardios do século XVII: A. C. — Augustine Crompton. Aqui está, veja:

quieta non movere.

Creio... Bem, é bastante difícil dizer exatamente o que eu suponho de fato.

O Tratado Middoth

Próximo ao final de uma tarde de outono, um homem idoso de rosto magro e com um bigode cinzento à Piccadilly empurrou a porta que levava ao hall de certa biblioteca famosa e, dirigindo-se a um atendente, declarou que acreditava ter a permissão de usar a biblioteca e perguntou se poderia retirar um livro. Sim, ele estava na lista daqueles a quem essa permissão fora concedida. Ele apresentou o seu cartão, Sr. John Eldred, e, depois que o registro foi consultado, obteve uma resposta favorável.

— Agora, outra coisa — disse ele. — Já faz muito tempo que estive aqui e não sei como é seu edifício. Além disso, está quase na hora de fechar, e não é bom para mim subir e descer escadas correndo. Tenho aqui o título do livro que desejo. Há alguém livre que possa procurá-lo para mim?

Depois de pensar um momento, o atendente acenou para um jovem que passava e o chamou:

— Sr. Garrett, tem um minuto para auxiliar esse cavalheiro?

— Com prazer — foi a resposta de Sr. Garrett. O papel com o título foi entregue a ele. — Acredito ser capaz de encontrá-lo.

Por acaso está na prateleira que inspecionei há pouco, mas vou apenas conferir no catálogo para ter certeza. Suponho que seja essa edição específica que deseja, senhor?

— Sim, por favor. Essa e nenhuma outra. Sou extremamente grato ao senhor — respondeu Sr. Eldred.

— Não se preocupe, senhor — disse Sr. Garrett e saiu rapidamente.

Garrett, percorrendo as páginas do catálogo, disse consigo mesmo quando seu dedo parou em uma entrada específica:

— Foi o que pensei. Talmude: Tratado Middoth, com o comentário de Nachmanides, Amsterdam, 1707. 11.3.34. Ala Hebraica, é claro. Não é muito difícil encontrá-lo.

Sr. Eldred, acomodado em uma cadeira no hall, esperava ansiosamente o retorno de seu ajudante — e sua decepção ao ver um Sr. Garrett de mãos vazias descendo a escada foi muito evidente.

— Lamento desapontá-lo, senhor, mas o livro não está disponível — disse o jovem.

— Nossa! — exclamou Sr. Eldred. — Tem certeza? Está certo de que não pode ter havido um engano?

— Não acho que haja muita chance disso, senhor, mas é possível, se quiser esperar um minuto, que o senhor encontre o próprio cavalheiro que o possui. Ele deve deixar a biblioteca em breve, e *creio* que o vi tirar aquele livro específico da estante.

— Claro! Suponho que o senhor o tenha reconhecido, não? Seria um dos professores ou um dos alunos?

— Não sei. Certamente não é um professor. Talvez eu o tenha reconhecido, mas a luz não é muito boa naquela parte da biblioteca a esta hora do dia, e não vi seu rosto. Eu posso dizer que ele era um cavalheiro idoso e baixinho, talvez um clérigo, com um manto. Se puder esperar, posso facilmente descobrir se ele precisa mesmo desse livro específico.

— Não, não — disse Sr. Eldred. — Eu não... Não posso esperar agora, obrigado... Não. Eu preciso ir embora. Mas entro em contato novamente amanhã, se puder, e talvez o senhor possa descobrir quem está com ele.

— Certamente, senhor, e terei o livro pronto para o senhor se nós...

Mas Sr. Eldred já havia partido e se apressava mais do que qualquer um consideraria saudável para ele.

Garrett teve alguns momentos livres e pensou:

— Vou voltar até aquele caso e ver se consigo encontrar o senhor. Provavelmente ele poderia adiar o uso do livro por alguns dias. Ouso dizer que o outro não deseja ficar com ele por muito tempo.

Então se dirigiu até a Ala Hebraica. No entanto, ao chegar lá, ela estava desocupada, e o volume marcado como 11.3.34 estava em seu lugar na estante. Era vergonhoso para a autoestima de Garrett ter desapontado um visitante por um motivo tão insignificante, e ele teria gostado, se não fosse contra as regras da biblioteca, de levar o livro para o hall naquele momento para que estivesse pronto para Sr. Eldred assim que ele entrasse em contato. De qualquer forma, na manhã seguinte, ele o procurou e pediu ao atendente que entrasse em contato e o avisasse quando chegasse o momento. Na verdade, ele próprio estava no hall quando Sr. Eldred chegou, logo após a abertura da biblioteca, quando quase ninguém além da equipe estava no prédio.

— Sinto muito — disse ele —, não é sempre que eu cometo um erro tão bobo, mas tinha certeza de que aquele senhor que vi havia pegado aquele livro e o teria mantido em seu poder, assim como as pessoas fazem, o senhor sabe, quando pretendem retirar um livro da biblioteca e não apenas consultá-lo. No entanto, irei correndo agora e o pegarei para o senhor desta vez.

E aqui ocorreu uma pausa. Sr. Eldred percorreu a entrada, leu todos os avisos, consultou o relógio, sentou-se e olhou para o alto da escada, fez tudo o que um homem muito impaciente era capaz fazer, até que cerca de vinte minutos se passaram. Por fim, ele se dirigiu ao atendente e perguntou se era muito longo o caminho até aquela parte da biblioteca para a qual Sr. Garrett tinha ido.

— Bem, estava pensando que isso foi curioso, senhor. No geral, ele é um homem rápido, mas tenho certeza de que pode ter sido chamado pelo bibliotecário, porém mesmo assim acho que ele teria mencionado, já que o senhor estava esperando. Vou falar com ele diretamente para ter certeza.

E ele mesmo se dirigiu ao corredor. Ao absorver a resposta à sua pergunta, sua expressão mudou e ele fez uma ou duas perguntas complementares que foram respondidas brevemente. Em seguida, aproximou-se do balcão e falou em voz baixa:

— Lamento fazê-lo ouvir isso, senhor, mas algo estranho parece ter acontecido. Sr. Garrett sentiu-se mal, ao que parece, e o bibliotecário o dispensou em um táxi. Uma espécie de ataque, pelo que ouvi.

— O que realmente? O senhor quer dizer que alguém o feriu?

— Não, senhor, não há violência aqui, mas, como sou capaz de julgar, ocorreu um ataque, o que o senhor poderia chamar de enfermidade. O Sr. Garrett não é lá muito resistente. Mas quanto ao seu livro, senhor, talvez consiga encontrá-lo sozinho. É uma pena que tenha ficado desapontado duas vezes dessa maneira…

— É... Bem, mas sinto muito que o Sr. Garrett tenha ficado doente dessa maneira enquanto me atendia. Acho que devo deixar o livro e entrar em contato, e também perguntar por ele. Suponho que o senhor me possa dar o endereço dele.

Isso foi feito facilmente. Sr. Garrett, ao que parecia, estava alojado em apartamentos não muito distantes da estação.

— E outra coisa. Por acaso o senhor notou se um velho senhor, talvez um clérigo, em um... sim... em um manto preto saiu da biblioteca depois de mim ontem? Eu acho que ele pode ter estado em... creio que ele possa ter ficado, ou melhor, que eu possa tê-lo reconhecido.

— Não em um manto preto, senhor. Não. Só estavam dois cavalheiros depois que o senhor partiu, ambos jovens. Lá estava Sr. Carter tirando um livro de música e um dos professores com alguns romances. Isso é tudo, senhor. E então fui buscar um chá para mim, e satisfeito por tê-lo feito. Obrigado, senhor, muito obrigado.

Sr. Eldred, ainda vítima de ansiedade, dirigiu-se em um táxi até o endereço de Sr. Garrett, mas o jovem ainda não estava em condições de receber visitas. Estava melhor, mas sua criada considerou que ele devia ter sofrido um forte choque. Ela pensou, muito provavelmente pelo que o médico disse, que ele poderia ver Sr. Eldred no dia seguinte. Sr. Eldred voltou ao hotel ao anoitecer e passou, creio eu, uma noite sombria.

No dia seguinte, ele estava pronto para visitar Sr. Garrett. Quando estava com saúde, Sr. Garrett era um jovem alegre e de aparência agradável. Agora era um ser muito pálido e trêmulo, encostado em uma poltrona próxima ao fogo e destinado a estremecer e a ficar de olho na porta. Entretanto, se havia visitantes que ele não estava preparado para receber, Sr. Eldred não estava entre eles.

— Sou realmente eu quem lhe devo um pedido de desculpas, e estava desesperado por não poder compensá-lo, pois não sabia seu endereço. Mas estou muito feliz por ter entrado em contato. Estou desapontado e me arrependo de ter causado todo esse problema, mas o senhor sabe que não poderia ter previsto isto... este ataque que tive.

— Claro que não, mas veja, sou uma espécie de médico. Você vai desculpar minha pergunta, tenho certeza de que recebeu bons conselhos. Por acaso sofreu uma queda?

— Não. De fato caí no chão, mas não de uma grande altura. Foi, na verdade, um choque.

— Quer dizer que algo o assustou. Foi alguma coisa que o senhor pensou ter visto?

— Nesse caso, não exatamente *pensei*, receio. Sim, foi algo que vi. O senhor se lembra de quando entrou em contato com a biblioteca pela primeira vez?

— Sim, com certeza. Bem, agora, peço que não tente descrevê-lo, não será bom para o senhor lembrar-se, eu tenho certeza.

— Na verdade, seria um alívio contar para alguém como o senhor, talvez o senhor consiga explicar. Foi exatamente quando estava entrando na ala onde seu livro está...

— Realmente, Sr. Garrett, eu insisto. Além disso, meu relógio me diz que tenho muito pouco tempo para juntar minhas coisas e pegar o trem. Não, nenhuma outra palavra... Talvez fosse mais angustiante para o senhor do que imagina. Há ainda uma coisa que quero dizer. Sinto que sou de fato indiretamente responsável por esta sua enfermidade, e acho que devo custear a despesa que o senhor tem, sim?

Essa oferta foi claramente recusada. Sr. Eldred, sem pressioná-lo, saiu quase imediatamente. Não, no entanto, antes que Sr. Garrett insistisse em anotar a localização do Tratado Middoth, que, como ele disse, Sr. Eldred poderia ter à vontade para si mesmo. Porém Sr. Eldred não reapareceu na biblioteca.

William Garrett recebeu outro visitante naquele dia, uma pessoa amiga e colega da biblioteca, um certo George Earle. Earle foi um dos que encontrou Garrett deitado no chão, inconsciente, dentro da "ala" ou cubículo que se abria no corredor central de uma espaçosa galeria, no qual os livros hebraicos foram colocados. Earle naturalmente ficou muito ansioso com a condição de seu colega. Assim que o horário da biblioteca terminou, ele apareceu no apartamento e disse após outra conversa:

— Bem, não tenho ideia do que o senhor fez de errado, mas tenho a impressão de que há algo errado na atmosfera da biblioteca. Eu sei disto, que, pouco antes de encontrarmos o senhor, eu estava vindo pela galeria com Davis e perguntei a ele: "Já sentiu um cheiro tão mofado em qualquer lugar como há por aqui? Isso não pode ser saudável". Bem, se alguém continuar vivendo muito tempo com um cheiro desse tipo (afirmo que era pior do que eu jamais imaginaria), isso deve entrar no sistema respiratório e colapsar em algum tempo, não acha?

Garrett balançou a cabeça.

— Tudo isso sobre o cheiro é verdade, mas nem sempre está lá, embora eu o tenha notado ontem ou nos últimos dois dias...

Uma espécie de cheiro estranhamente forte de poeira. Mas não, não foi isso que aconteceu comigo. Foi algo que *vi*. E eu quero contar-lhe sobre isso. Eu fui até aquela ala hebraica para conseguir um livro para um homem que perguntava por ele lá embaixo. Porém era aquele mesmo livro com o qual cometi um erro no dia anterior. Eu tinha ido até lá por isso, pelo mesmo homem, e estava certo de ter visto um velho pároco com um manto pegando-o. Eu disse isso ao homem que me estava esperando, ele se foi e entrou em contato novamente no dia seguinte. Voltei para ver se conseguia pegá-lo com o pároco, mas não havia pároco algum ali, e o livro estava na estante. Bem, ontem, como disse, fui de novo. Desta vez, se me permite, eram dez horas da manhã, lembre-se. Havia tanta luz, como sempre o senhor vê nessas alas, e lá estava meu pároco de novo, de costas para mim, olhando para os livros na prateleira que eu procurava. Seu chapéu estava sobre a mesa e ele tinha a cabeça calva. Esperei um ou dois segundos olhando para ele particularmente. Eu lhe digo, ele tinha uma cabeça careca muito desagradável. Ela pareceu-me ressecada e empoeirada; as mechas de cabelo eram muito menos parecidas com cabelo do que com teias de aranha. Bem, fiz um barulho de propósito, tossi e mexi os pés. Ele se virou e me deixou ver seu rosto... Que eu não havia visto antes. Repito, não estou enganado. Embora, por uma razão ou outra, eu não tenha olhado a parte inferior de seu rosto, mas sim a parte superior, que estava claramente ressecada, os olhos muito fundos e, sobre eles, das sobrancelhas às maçãs do rosto, havia grossas *teias de aranha*. Agora isso me chocou, como dizem, e não posso dizer mais nada.

Quais explicações foram fornecidas por Earle para esse fenômeno, não nos interessa muito inquirir. Em todo o caso, não convenceram Garrett de que ele não tinha visto o que tinha visto.

Antes de William Garrett voltar ao trabalho na biblioteca, o bibliotecário insistiu em que ele descansasse uma semana e mudasse os ares. Dentro de alguns dias, portanto, ele estava na estação com sua bolsa, procurando um vagão desejável para fumar ao viajar para a praia de Burnstow, que ele não havia visitado antes. Um vagão e apenas um parecia adequado. Mas, assim que se aproximou, viu em pé diante da porta uma figura tão parecida com alguém ligado a recentes associações desagradáveis, que, com uma nauseante reação e mal sabendo que fizesse, abriu a porta do vagão seguinte e jogou-se para dentro dele muito rapidamente, como se a morte estivesse grudada em seus calcanhares. O trem partiu e ele deve ter desmaiado, pois em seguida percebeu que uma garrafa fora colocada em seu nariz. Sua médica era uma senhora de boa aparência que, junto de sua filha, eram as únicas passageiras da viagem.

Se não fosse por esse incidente, não é muito provável que ele tivesse feito qualquer contato com seus companheiros de viagem. Como ocorreu, agradecimentos, perguntas e conversas gerais surgiram inevitavelmente, e Garrett viu-se provido, antes do fim da jornada, não apenas de uma médica, mas de uma proprietária, pois Sra. Simpson tinha apartamentos para alugar em Burnstow, que pareciam adequados em todos os aspectos. O lugar estava vazio naquela temporada, de modo que a Garrett foi oferecido um bom negócio na sociedade de mãe e filha. Ele as considerou uma companhia muito aceitável. Na terceira noite de sua estada, ele estava ligado a elas, pois foi convidado a passar o fim da tarde em sua sala de estar privada.

Durante a conversa, ficou claro que o trabalho de Garrett era desenvolvido em uma biblioteca.

— Ah, as bibliotecas são bons lugares — disse Sra. Simpson, deixando de lado o trabalho, com um suspiro —, mas, apesar de tudo isso, os livros me deixaram triste, ou melhor, *certo* livro o fez.

— Bem, os livros me dão a vida, Sra. Simpson, e eu devo lamentar proferir uma só palavra contra eles. Não gosto de ouvir que eles têm sido ruins para a senhora.

— Talvez Sr. Garrett possa ajudar-nos a resolver nosso enigma, mãe — disse Srta. Simpson.

— Não quero lançar Sr. Garrett em uma caça que pode desperdiçar uma vida inteira, minha querida, nem incomodá-lo ainda mais com nossos assuntos particulares.

— Mas se acha que eu poderia ser útil, peço que me diga qual é o enigma, Sra. Simpson. Se for descobrir algo sobre um livro, veja, estou em uma posição muito boa para fazê-lo.

— Sim, entendo, mas o pior de tudo é que não sabemos o nome do livro.

— Nem do que se trata?

— Não, nem isso.

— Exceto que acreditamos não ser em inglês, mãe... Mas isso não é uma grande pista.

— Bem, Sr. Garrett — disse a Sra. Simpson, que ainda não havia retomado seu trabalho e olhava pensativa para o fogo —, vou lhe contar a história. Por favor, guarde isso para si, se não se importa. Obrigada. Agora é apenas sobre isso. Eu tinha um velho tio, certo Dr. Rant. Talvez o senhor já tenha ouvido falar dele. Não que ele fosse um homem distinto, mas pela maneira estranha como escolheu ser enterrado.

— Talvez já tenha visto o nome em algum guia.

— É possível — disse Srta. Simpson. — Ele deixou instruções (velho horroroso!) de que deveria ser colocado sentado a uma mesa com suas roupas normais, em uma sala de tijolos que ele tinha feito no subsolo em um campo próximo de sua casa. Claro que as pessoas da cidade dizem que ele foi visto por lá com seu velho manto preto.

— Bem, querida, não sei muito sobre essas coisas — continuou Sra. Simpson —, mas, de qualquer forma, ele está morto há vinte anos e até mais. Ele era um clérigo, embora eu tenha certeza de que não sou capaz de imaginar como ele se tornou um, mas não cumpriu nenhuma obrigação na última parte de sua vida, o que acho que foi algo bom. Ele morava sozinho em uma propriedade muito bonita, não muito longe daqui. Ele não tinha esposa ou família, apenas uma sobrinha, que era eu mesma, e um sobrinho, e ele não gostava muito de nenhum de nós... Nem de mais ninguém, até onde sei. Na verdade, ele gostava mais do meu primo que de mim, pois John era muito mais parecido com ele em seu temperamento e, receio que devo dizê-lo, em seus modos tão cruéis. Isso poderia ter sido diferente se eu não me tivesse casado, mas eu o fiz e ele ficou muito ressentido. Muito bem, aqui estava ele com esta propriedade e uma boa quantia de dinheiro, da qual percebeu que tinha total disposição, e foi entendido que nós, meu primo e eu, compartilharíamos igualmente depois de sua morte. Em certo inverno, há mais de vinte anos, como disse, ele adoeceu e fui chamada para cuidar dele. Meu marido estava vivo então, mas o velho não quis de modo algum que *ele* viesse. Enquanto me dirigia até a casa, vi meu primo John afastando-se a passos largos e notei que parecia muito bem-humorado. Subi e fiz o que pude por meu tio, mas logo tive certeza de que aquela seria sua última enfermidade, e ele também estava convencido disso. No dia anterior à sua morte, ele me fez sentar ao seu lado o tempo todo, e pude ver que havia algo, e provavelmente algo desagradável, que ele estava guardando para me contar e adiando enquanto sentia que poderia ter forças… Temo que de propósito, a fim de manter-me nesse período. Mas, finalmente, tudo ficou claro. "Mary", disse ele, "Mary, fiz meu testamento em favor de John; ele tem tudo, Mary."

Bem, é claro que foi um amargo choque para mim, pois nós, meu marido e eu, não éramos pessoas ricas, e, se ele pudesse ter vivido um pouco mais facilmente do que era obrigado, pensei que esse pudesse ser o prolongamento de sua vida. Mas eu disse pouco ou nada ao meu tio, exceto que ele tinha o direito de fazer o que desejasse: em parte porque não conseguia pensar em nada para dizer, em parte porque tinha certeza de que havia mais por vir, e assim foi. "Mas Mary", disse ele, "não confio muito em John e fiz outro testamento em *seu* favor. *Você* pode ter tudo. Você precisa apenas encontrá-lo, veja, e não pretendo dizer onde ele está."

Sra. Simpson continuou:

— Então ele riu sozinho e eu esperei, pois novamente tive certeza de que ele não havia terminado: "Que boa menina", disse ele depois de um tempo. "Espere, e eu direi a você tudo o que disse a John. Mas deixe-me lembrá-la, você não pode ir ao tribunal com o que lhe estou dizendo, pois *você* não será capaz de produzir nenhuma evidência clara além de sua própria palavra, e John é um homem que pode reclamar um pouco se necessário. Muito bem então, está entendido. Bem, imaginei que não escreveria esse testamento da maneira comum, então o escrevi em um livro, Mary, um livro impresso. E há vários milhares de livros nesta casa. Mas aqui está! Você não precisa preocupar-se com eles, pois não é um desses. Ele está em segurança em outro lugar, um lugar aonde John pode ir e encontrá-lo qualquer dia, se ele ao menos soubesse, e você não. É um bom testamento: devidamente assinado e testemunhado, mas não acho que encontrará as testemunhas rapidamente.".

— Ainda assim, eu não disse nada. Se eu me tivesse mexido, deveria ter agarrado e sacudido aquele velho desgraçado. Ele ficou lá rindo para si mesmo, e finalmente disse: "Bem, bem, você aceitou com muita calma, e, como eu quero iniciar os dois em pé de igualdade e John tem um pouco de vantagem para ir ao lugar em que está o livro, vou dizer apenas duas outras coisas que não contei a ele. O testamento está em inglês, mas você não saberá disso mesmo que o veja. Isso é uma coisa, e a outra é que, quando eu partir, você encontrará um envelope na minha mesa dirigido a você e, dentro dele, algo que ajudaria a encontrá-lo, se tiver a inteligência de usá-lo...".

— Em poucas horas ele partiu e, embora eu tenha feito um apelo a John Eldred com relação a isso...

— John Eldred? — interrompeu Garrett. — Desculpe, Sra. Simpson... Acho que vi certo Sr. John Eldred. Como ele é fisicamente?

— Devem ter se passado dez anos desde que o vi. Ele seria um velho magro agora e, a menos que o tenha raspado, tem aquele tipo de bigode que as pessoas costumavam chamar de Dundreary ou Piccadilly, algo assim.

— Bigodes. Sim, esse é o homem.

— Onde o encontrou, Sr. Garrett?

— Não sei se poderia contar — disse Garrett falsamente. — Em algum lugar público. Mas a senhora não terminou.

— Realmente não tinha muito que acrescentar, apenas que John Eldred, é claro, não deu atenção alguma às minhas cartas e tem desfrutado da propriedade desde então, enquanto minha filha e eu tivemos de cuidar dos negócios de aluguéis aqui, o que, devo dizer, não acabou de forma alguma tão desagradável quanto eu temia.

— Mas e com relação ao envelope?

— Ah, certamente! Ora, o enigma gira em torno disso. Dê ao Sr. Garrett o papel da minha mesa.

Era um pequeno envelope sem nada além de cinco algarismos, não divididos ou pontuados de forma alguma:

11334

Sr. Garrett ponderou, mas havia uma luz em seus olhos. De repente, fez uma careta e perguntou:

— A senhora acha que Sr. Eldred pode ter mais pistas do que a senhora sobre o título do livro?

— Algumas vezes pensei que sim — respondeu Sra. Simpson —, e do seguinte modo: meu tio deve ter feito o testamento não muito antes de morrer (isso, creio, ele mesmo disse) e livrou-se do livro imediatamente depois. Mas todos os seus livros foram cuidadosamente catalogados, e John tem o catálogo. E John foi muito específico para que nenhum livro fosse vendido para fora da casa. E disseram-me que ele está sempre conversando com livrarias e bibliotecas, então imagino que ele deve ter descoberto exatamente quais livros estão faltando na biblioteca de meu tio, entre aqueles que estão no catálogo, e deve estar procurando por eles.

— Claro, claro — disse Sr. Garrett e voltou a seu pensamento.

Não depois do dia seguinte, ele recebeu uma carta que, como contou para Sra. Simpson com grande pesar, tornava absolutamente necessário interromper sua estadia em Burnstow.

Por mais que sentisse em deixá-las, e elas estivessem também tristes por se afastarem, ele começou a sentir que uma crise, tão importante para a Sra. (e devemos acrescentar Srta.?) Simpson, muito possivelmente estava por vir.

No trem, Garrett estava inquieto e animado. Ele esforçou-se para pensar se a marca impressa do livro que Sr. Eldred estivera buscando tinha algo que correspondesse aos números do pequeno pedaço de papel da Sra. Simpson. Mas ele descobriu, para seu desapontamento, que o choque da semana anterior o havia realmente abalado tanto, que ele não conseguia lembrar-se de nenhum vestígio do título ou da natureza do livro, ou mesmo da localidade em que fora buscá-lo. E, no entanto, todas as outras partes do espaço e do trabalho da biblioteca estavam claras como sempre em sua mente.

E outra coisa (ele concluiu com aborrecimento ao pensar nisso): ele primeiro hesitou e depois se esqueceu de perguntar à Sra. Simpson o nome do lugar em que morava Eldred. Sobre isso, no entanto, ele poderia escrever-lhe.

Pelo menos ele obteve sua pista nas marcações do papel. Caso se referissem a uma marca impressa em sua biblioteca, eram suscetíveis apenas a um número limitado de interpretações. Elas podem ser divididas em 1.13.34, 11.33.4 ou 11. 3.3.4. Ele poderia tentar tudo isso no espaço de alguns minutos e, se algum estivesse faltando, ele teria todos os meios para rastreá-lo. Foi ao trabalho muito rapidamente, embora alguns minutos tivessem de ser gastos explicando seu retorno antecipado ao chefe e aos colegas. 1.13.34. estava no lugar e não continha uma escrita estranha. Ao se aproximar da Ala II na mesma galeria, seu pensamento o atingiu como um calafrio. No entanto, ele deveria continuar. Depois de uma rápida olhada em 11.33.4, que ele confrontou pela primeira vez e era um livro perfeitamente novo, passou os olhos ao longo da linha de estantes que preenche 11.3. A lacuna que ele temia estava lá: nada do livro 34. Passou um momento certificando-se de que não havia sido extraviado e então foi para o hall.

— O 11.3.34 não está aqui? O senhor se lembra de ter notado esse número?

— Notado o número? Como assim, Sr. Garrett? Aqui está, pegue e verifique as anotações por si mesmo, se tiver o dia livre.

— Bem, então algum Sr. Eldred entrou em contato novamente? O velho senhor que apareceu no dia em que fiquei doente. Vamos! O senhor se lembraria dele.

— O que acha? Claro que me lembro dele. Não, ele não voltou desde que o senhor saiu de férias. E ainda assim me parece... Olhe aí. Roberts deve saber. Roberts, o senhor se lembra do nome Heldred?

— Não — respondeu Roberts. — Refere-se ao homem que enviou uma moeda junto do preço do pacote? Gostaria que todos o fizessem.

— Quer dizer que o senhor tem enviado livros para Sr. Eldred? Venha, fale! O senhor tem?

— Veja bem, Sr. Garrett, se um cavalheiro enviar a ficha toda preenchida corretamente e a secretária disser que esse livro pode sair, houver uma caixa endereçada e enviada com a nota e uma quantia em dinheiro suficiente para pagar as despesas da ferrovia, qual seria a *sua* ação no assunto, Sr. Garrett, se posso tomar a liberdade de fazer tal pergunta? O senhor se teria ou não se teria se dado ao trabalho de obedecer, ou teria empurrado toda a coisa velha debaixo do tapete e...

— O senhor estava perfeitamente certo, é claro, Hodgson... Perfeitamente certo. Poderia apenas, gentilmente, fazer-me um favor ao mostrar-me a passagem que Sr. Eldred enviou e informar-me seu endereço?

— Com certeza, Sr. Garrett, contanto que eu não seja monitorado e não seja insinuado que não conheço meu dever. Estou disposto a obedecer a meu poder de todas as maneiras possíveis. A passagem está no arquivo: "J. Eldred, 11.3.34". Título do trabalho: "T-a-l-m". Bem, o senhor pode fazer o que quiser com ele... Não é um romance, devo suspeitar. E aqui está a nota de Sr. Heldred solicitando o livro em questão, que vejo que ele chama de pista.

— Obrigado, obrigado. Mas e o endereço? Não há nenhum na nota.

— Ah, claro. Bem... fique, Sr. Garrett; eu o tenho. Ora, aquele bilhete veio dentro do pacote que foi direcionado muito atenciosamente para evitar todos os problemas, pronto para ser enviado de volta com o livro dentro dele. Se *cometi* algum erro nessa transação em questão, está apenas no fato de que me esqueci de inserir o endereço em meu livrinho que aqui mantenho. Não só ouso dizer que houve boas razões para não fazê-lo, mas no momento não tenho tempo, nem o senhor, ouso dizer, para fazer isso agora mesmo. E não, Sr. Garrett, eu *não* o levo embora, senão qual seria a utilidade de manter este livrinho aqui... Apenas um caderno comum, veja, em que tenho o hábito de inserir todos esses nomes e endereços nele como acho adequado fazer?

— Organização admirável, com certeza... Mas ... Tudo bem, obrigado. Quando o pacote saiu?

— Dez e meia, esta manhã.

— Oh, ótimo. E é apenas uma da tarde agora.

Garrett subiu as escadas entregue a profundos pensamentos. Como ele conseguiria o endereço? Um telegrama para Sra. Simpson. Ele poderia perder um trem esperando pela resposta. Sim, havia outra maneira. Ela havia dito que Eldred morava na propriedade de seu tio. Se fosse assim, ele poderia encontrar esse lugar no livro de doações. Ele poderia olhar rapidamente, agora que conhecia o título do livro. O registro estava logo diante dele e, sabendo que o velho havia morrido havia mais de vinte anos, deu-lhe uma boa margem e voltou a 1870. Havia apenas uma entrada possível:

> 1875, 14 de agosto. *Talmud: Tractatus Middoth cum comm. R. Nachmanidae*, Amstelod, 1707. Fornecido por J. Rant, D. D., de Bretfield Manor.

Um dicionário geográfico mostrou que Bretfield estava a cinco quilômetros de uma pequena estação da linha principal.

Agora devia perguntar ao atendente se ele sabia se o nome no pacote era algo parecido com Bretfield.

— Não, nada parecido. Era, agora que mencionou, Sr. Garrett, Bredfield ou Britfield, mas nada parecido com o outro nome que o senhor comentou.

Até agora bem. A seguir, um cronograma. Um trem poderia ser tomado em vinte minutos, levando duas horas de viagem. A única chance, uma que não se podia perder, e o trem partiu.

Se ele tinha ficado inquieto durante o início da jornada, ele quase se distraiu durante o final dela. Se ele encontrasse Eldred, o que poderia dizer? Que havia sido descoberto que o livro era uma raridade e deveria ser recuperado? Uma mentira óbvia. Ou acreditava-se que continha importantes notas manuscritas? É claro que Eldred lhe mostraria o livro, do qual a folha já teria sido removida. Ele poderia, talvez, encontrar vestígios da remoção, uma borda rasgada de uma folha de rosto provavelmente, e quem poderia contestar? O que Eldred certamente diria? Que também notou e lamentou a mutilação? Por fim, a procura parecia desesperadora. A única chance era essa. O livro saíra da biblioteca às dez e meia, mas podia não ter entrado no primeiro trem disponível, às onze e vinte. Sendo isso verdadeiro, então ele poderia ter sorte suficiente para chegar ao mesmo tempo que ele e criar alguma história que induziria Eldred a desistir.

Estava anoitecendo quando ele desceu da plataforma de sua estação, e, como a maioria das estações do país, essa parecia estranhamente quieta. Esperou até que um ou dois passageiros que saíram junto dele estivessem adormecidos e então perguntou ao chefe da estação se Sr. Eldred estava por perto.

— Sim, e muito perto também, creio. Imagino que ele queira buscar um pacote que está esperando. Já entrou em contato uma vez hoje, não foi, Bob? — disse virando-se para o porteiro.

— Sim, senhor, sim. E parecia pensar que tudo dependia de mim, já que não chegara às duas horas. De qualquer forma, agora o peguei para ele. — E o porteiro exibiu um pacote quadrado que, com um olhar, confirmou a Garrett tudo o que era importante naquele momento específico.

— Bretfield, senhor? Sim, quase três milhas. Um atalho através desses três campos diminui em meia milha. Pronto. Aí está a armadilha de Sr. Eldred.

Uma carruagem chegou com dois homens dos quais Garrett, olhando para trás enquanto cruzava o pequeno pátio da estação, facilmente reconheceu um. O fato de Eldred estar dirigindo estava ligeiramente em seu favor, pois muito provavelmente ele não abriria o pacote na presença de seu criado. Por outro lado, ele chegaria a casa rapidamente e, a menos que Garrett estivesse lá dentro de poucos minutos de sua chegada, tudo estaria acabado. Ele deveria apressar-se e assim o fez. Seu atalho o levou ao longo de um lado de um triângulo, enquanto a carruagem tinha dois lados para percorrer. E havia demorado um pouco na estação, de modo que Garrett estava no terceiro dos três campos quando ouviu as rodas bem perto. Ele havia feito o melhor progresso possível, mas o ritmo com que a carruagem se aproximava o deixou desesperado. Nesse ritmo, *deveria* chegar a casa dez minutos antes dele, e dez minutos seriam mais do que suficientes para a realização do projeto de Sr. Eldred.

Foi exatamente nesse momento que a sorte mudou. A noite estava calma e os sons eram claros. Raramente algum som proporcionou maior alívio do que aquele que agora ouvia: o da carruagem que parava. Algumas palavras foram trocadas, e o carro seguiu. Garrett, parando na maior ansiedade, foi capaz de ver, enquanto passava pela escada, perto da qual estava agora, que continha apenas o criado e não Eldred. Além disso, percebeu que Eldred o seguia a pé. De trás da cerca alta perto da escada que conduzia à estrada, ele observou a figura extremamente magra passar rapidamente com o pacote debaixo do braço apalpando os bolsos. Assim que passou pela escada, algo caiu do bolso na grama, mas com tão pouco ruído, que Eldred nem se deu conta. Logo ficou seguro para Garrett cruzar a escada para a estrada e pegar o objeto. Era uma caixa de fósforos. Eldred continuou e, enquanto avançava, seus braços faziam movimentos apressados, difíceis de interpretar à sombra das árvores que balançavam sobre a estrada. Mas, enquanto Garrett seguia com cautela, encontrou em vários pontos a chave para eles, um pedaço de corda e, em seguida, a embalagem do pacote, destinada a ser jogada por *cima* da cerca, mas ficando presa a ela.

Agora Eldred estava andando mais devagar, e podia se perceber que ele havia aberto o livro e folheava as páginas. Ele parou, evidentemente preocupado com a luz fraca. Garrett entrou por um portão aberto, mas ainda assistia. Eldred, observando ao redor rapidamente, sentou-se em um tronco de árvore derrubado à beira da estrada e segurou o livro aberto perto de seus olhos. De repente, ele o colocou, ainda aberto, sobre os joelhos, e apalpou todos os seus bolsos claramente em vão e claramente para seu aborrecimento. "O senhor ficaria feliz com seus fósforos agora", pensou Garrett.

Então ele pegou uma folha e segurou-a ao arrancá-la cuidadosamente, quando duas coisas aconteceram. Primeiro, algo preto pareceu cair sobre a folha branca e borrá-la. Então, quando Eldred começou a virar-se ao olhar para trás, uma pequena forma escura pareceu emergir da sombra atrás do tronco da árvore, e dela dois braços envolvendo uma massa de escuridão diante do rosto de Eldred ocultaram sua cabeça e pescoço. Suas pernas e braços debatiam-se, mas nenhum som veio. Então, não houve mais movimento. Eldred estava sozinho. Ele havia caído para trás, na grama próxima ao tronco da árvore. O livro foi arremessado para a estrada. Garrett, cuja raiva e suspeita desapareceram por um momento à visão dessa luta terrível, apressou-se com gritos de socorro, e também o fez, para seu enorme alívio, um trabalhador que acabara de surgir de um campo oposto. Juntos eles se curvaram e tentaram ajudar Eldred, mas para nada. A conclusão de que ele estava morto era inevitável.

— Pobre cavalheiro! — disse Garrett ao trabalhador, quando o deitaram. — O que aconteceu com ele, o senhor sabe?

— Eu não estava a duzentos metros de distância quando vi Sr. Eldred sentado lendo seu livro e, a meu ver, foi tomado por um desses ataques — respondeu o homem. — O rosto parecia ter ficado todo preto.

— Exatamente — concordou Garrett. — O senhor não viu ninguém perto dele? Não pode ter sido uma agressão?

— Não é possível, ninguém poderia fugir sem que o senhor ou eu fôssemos capazes de ver.

— Foi o que pensei. Bem, precisamos de ajuda de um médico e de um policial. E talvez seja melhor dar-lhes este livro.

Era obviamente um caso para uma investigação, e era óbvio também que Garrett deveria ficar em Bretfield e dar seu depoimento. A inspeção médica mostrou que, embora um pouco de poeira negra tenha sido encontrada no rosto e na boca do falecido, a causa da morte foi um choque para um fraco coração, e não asfixia. O fatídico livro fora fabricado; era um respeitável in-quarto impresso totalmente em hebraico, e não era dotado de um aspecto capaz de animar até mesmo os mais sensíveis.

— O senhor disse, Sr. Garrett, que o falecido cavalheiro parecia, no momento anterior ao ataque, arrancar uma folha deste livro?

— Sim. Creio que uma das folhas de rosto.

— Há aqui uma folha de rosto parcialmente rasgada. Ela está escrita em hebraico. O senhor faria a gentileza de inspecionar?

— Há também três nomes em inglês, senhor, e uma data. Mas lamento dizer que não consigo ler a escrita hebraica.

— Obrigado. Os nomes têm a aparência de assinaturas. Eles são John Rant, Walter Gibson e James Frost, e a data é 20 de julho de 1875. Alguém aqui conhece algum desses nomes?

O responsável, que estava presente, deu uma declaração voluntária de que o tio do falecido, de quem ele era herdeiro, chamava-se Rant.

Assim que o livro foi entregue a ele, balançou a cabeça intrigado.

— Isso não é como nenhum hebraico que já vi.

— O senhor tem certeza de que é hebraico?

— O quê? Sim, suponho… Não. Meu caro senhor, você está perfeitamente certo. Isto é, sua sugestão é certeira. Claro, não é hebraico de forma alguma. É inglês, e é um testamento.

Não demoraram muitos minutos para mostrar que ali estava de fato um testamento de Dr. John Rant, deixando à Sra. Mary Simpson toda a propriedade recentemente mantida por John Eldred. Obviamente, a descoberta de tal documento justificaria amplamente a agitação de Sr. Eldred. Quanto ao dano parcial da folha, o legista observou que nenhum propósito útil poderia ser alcançado por especulações cuja exatidão nunca seria possível estabelecer.

O Tratado Middoth foi naturalmente levado pelo legista para uma investigação mais aprofundada, e Sr. Garrett explicou-lhe em particular sua história e a posição dos acontecimentos, tanto quanto os sabia ou pensava saber.

Ele voltou ao trabalho no dia seguinte e, em sua caminhada até a estação, passou pelo cenário da catástrofe de Sr. Eldred. Ele dificilmente poderia sair sem outro olhar, embora a lembrança do que vira ali o fizesse estremecer, mesmo naquela manhã ensolarada. Ele deu a volta, com algum receio, atrás da árvore caída. Algo escuro que ainda estava lá o fez recuar por um momento, mas mal se mexeu. Olhando mais de perto, notou que era uma espessa massa negra de teias de aranha e, ao movê-la cuidadosamente com seu bastão, várias aranhas grandes correram para a grama.

Não há grande dificuldade em imaginar os passos pelos quais William Garrett, de assistente em uma grande biblioteca, atingiu sua atual posição de futuro proprietário de Bretfield Manor, agora na ocupação de sua sogra, Sra. Mary Simpson.

Invocando Runas

15 de abril de 190—.

Caro senhor,
Fui solicitado pelo Conselho da Associação [...] a devolver-lhe o rascunho de um artigo sobre "A Verdade na Alquimia", que o senhor fez a gentileza de se oferecer para ler em nossa próxima reunião, e informá-lo de que o conselho não vê uma maneira de incluí-lo no programa.
Estou às ordens.
Atenciosamente,
Secretário —.

18 de abril.

Caro senhor,
Lamento dizer que meus compromissos não me permitem conceder-lhe uma entrevista sobre o assunto de seu artigo proposto. Nem nossas leis

permitem que o senhor discuta o assunto com um Comitê de nosso Conselho, como o senhor sugere. Permita-me assegurar-lhe que o projeto que apresentou foi devidamente ponderado, e que este não foi rejeitado sem ter sido submetido ao julgamento da autoridade mais competente. Nenhuma questão pessoal (dificilmente é necessário acrescentar isso) pode ter tido a menor influência na decisão do Conselho.
Acredite (*ut supra*).

20 de abril.

O Secretário da Associação pede respeitosamente que informe ao Sr. Karswell que é impossível comunicar o nome de qualquer pessoa ou pessoas a quem o projeto do documento de Sr. Karswell possa ter sido submetido, e ainda deseja dar a entender que não pode comprometer-se a responder a quaisquer outras cartas sobre o assunto em questão.

— E quem é Sr. Karswell? — perguntou a esposa do secretário. Ela foi até o escritório dele e, talvez injustificadamente, pegou a última dessas três cartas que o datilógrafo acabara de trazer.

— Ora, minha querida, no momento, Sr. Karswell é um homem muito zangado. Mas não sei muito sobre ele, exceto que é uma pessoa rica, seu endereço é Lufford Abbey, Warwickshire, ele é um alquimista, aparentemente, e quer nos contar tudo sobre isso, e isso é tudo... exceto que não quero encontrá-lo nas próximas duas semanas. Agora, se você estiver pronta para deixar este lugar, eu estou.

— O que fez para deixá-lo com raiva? — perguntou a Sra. Secretária.

— A coisa de sempre, minha querida, a coisa de sempre. Ele enviou um rascunho de um artigo que queria ler na próxima reunião, e nós o encaminhamos para Edward Dunning, quase o único homem na Inglaterra que sabe dessas coisas, e ele disse que não havia esperança. Então recusamos. E assim Karswell tem me atirado cartas desde então. A última coisa que ele queria era o nome do homem, mas mencionamos que seria absurdo. Você viu minha resposta para tanto. Mas não diga mais nada sobre isso, pelo amor de Deus.

— Não o farei, claro. Alguma vez fiz algo assim? Espero, porém, que ele não saiba que foi o pobre Sr. Dunning.

— Pobre Sr. Dunning? Não sei por que o chama assim; ele é um homem muito feliz, esse Dunning. Muitos hobbies, uma casa confortável e todo seu tempo para si mesmo.

— Só quis dizer que teria pena dele se esse homem soubesse seu nome e viesse a incomodá-lo.

— Oh, ah! Sim. Ouso dizer então que seria, sim, um pobre Sr. Dunning.

O secretário e sua esposa almoçaram fora, e os amigos donos da casa para a qual eles se dirigiram eram pessoas de Warwickshire. Então, a Sra. Secretária já estava decidida que os questionaria criteriosamente a respeito de Sr. Karswell. Mas ela não teve o trabalho de tratar do assunto, pois a anfitriã disse ao anfitrião, antes que muitos minutos se passassem:

— Vi o abade de Lufford esta manhã.

O anfitrião assobiou e perguntou:

— Você viu? E que diabos o traz à cidade?

— Só Deus sabe. Ele estava saindo do portão do Museu Britânico enquanto eu passava.

Não foi incomum que a Sra. Secretária perguntar se a referência era a um verdadeiro abade.

— Oh, não, minha querida, apenas um vizinho nosso na cidade que comprou a Abadia de Lufford há alguns anos. Seu nome verdadeiro é Karswell.

— Ele é amigo dos senhores? — perguntou o Sr. Secretário, com uma discreta piscadela para sua esposa.

A pergunta lançou uma grande quantidade de discussão, mas, na verdade, não havia nada a ser dito sobre o Sr. Karswell. Ninguém sabia o que ele fazia consigo mesmo. Seus criados eram um grupo de pessoas horríveis; ele havia inventado uma nova religião para si mesmo e ninguém poderia dizer quais rituais horríveis ele havia praticado. Ofendia-se facilmente e nunca perdoava a ninguém. Tinha uma face horrível (insistia a senhora, seu marido um tanto relutante); nunca realizara uma ação gentil, e qualquer influência que exercera havia sido maldosa.

— Faça justiça ao pobre homem, querida — interrompeu o marido. — Você se esquece da guloseima que ele deu às crianças da escola.

— Claro, de fato! Mas estou feliz que as mencionou, pois dá uma ideia do homem. Agora, Florence, ouça isto. No primeiro inverno em que esteve em Lufford, esse adorável vizinho nosso escreveu ao clérigo de sua paróquia (não é o nosso, mas o conhecemos muito bem) e se ofereceu para mostrar aos alunos alguns truques de lanterna mágica. Ele disse que tinha alguns tipos novos que achava que interessariam a eles. Bem, o clérigo ficou bastante surpreso, porque Sr. Karswell tinha se mostrado inclinado a ser desagradável com as crianças: reclamava de suas invasões de propriedade ou algo do tipo. Porém é claro que ele aceitou, a noite foi marcada e nosso amigo foi ele mesmo ver se tudo corria bem. Ele disse que nunca foi tão grato por nada como por seus próprios filhos terem sido impedidos de estar lá. Eles estavam em uma festa infantil em nossa casa, na verdade. Porque esse Sr. Karswell evidentemente partira com a intenção de assustar essas pobres crianças do vilarejo, e eu acredito que, se ele tivesse tido permissão para continuar, realmente o teria feito. Ele começou com algumas coisas comparativamente suaves. Chapeuzinho Vermelho foi uma delas e, mesmo assim, Sr. Farrer disse que o lobo era tão terrível, que várias das crianças menores tiveram de ser retiradas. Ele disse que Sr. Karswell começou a história produzindo um barulho como um lobo uivando ao longe, que era a coisa mais horrível que ele já tinha ouvido. Todos os truques que ele mostrou, segundo Sr. Farrer, eram muito inteligentes, eram absolutamente realistas, e não conseguia imaginar onde ele os havia aprendido ou como os realizava. Bem, o espetáculo continuou, as histórias ficavam cada vez mais aterrorizantes e as crianças ficavam hipnotizadas em completo silêncio. Por fim, ele produziu uma série que representava um garotinho passando por seu próprio jardim (Lufford, quero dizer) durante a noite. Cada uma das crianças na sala poderia reconhecer o lugar pelas imagens. E esse pobre menino foi seguido e por fim perseguido, ultrapassado e despedaçado, ou de alguma forma destruído, por uma horrível criatura saltitante vestida de branco, que era possível ver primeiro esquivando-se entre as árvores e aparecendo gradualmente de modo mais e mais claro. Sr. Farrer disse que isso lhe deu um dos piores pesadelos de que ele se lembra, e o que deve ter significado para as crianças não vale a pena pensar. É claro que isso era demais e ele falou muito severamente com Sr. Karswell. Disse que não podia seguir adiante. Tudo o que *ele* disse foi: "Oh, o senhor acha que é hora de encerrar nosso pequeno espetáculo e mandá-los para casa para dormir? *Muito* bem!".

— E então, se me permite, ele mudou para outro truque que mostrava uma grande massa de cobras, centopeias e criaturas nojentas com asas, e de uma forma ou de outra ele fazia parecer que estavam saindo de cena e entrando no meio do público. E tudo isso foi acompanhado por uma espécie de farfalhar seco que deixou as crianças quase loucas, e, é claro, correram em disparada. Muitos deles ficaram bastante traumatizados ao sair da sala, e acho que nenhum deles fechou os olhos naquela noite. Depois disso, houve o problema mais terrível na vizinhança. É claro que as mães jogaram boa parte da culpa no pobre Sr. Farrer e, se tivessem sido capazes de passar pelos portões, acredito que os pais teriam quebrado todas as janelas da abadia. Bem, agora, esse é Sr. Karswell. Esse é o Abade de Lufford, minha querida, e pode imaginar como apreciamos *sua* organização.

— Sim, acho que ele tem todas as possibilidades de um notável criminoso, esse Karswell — disse o anfitrião. — Eu deveria lamentar por qualquer um que se meteu em seus maldosos livros.

— Ele é o homem, ou o estou confundindo com outra pessoa? — perguntou o secretário que havia alguns minutos estava com a expressão carrancuda de quem tenta lembrar-se de algo.

— É ele o homem que trouxe a *História da Bruxaria* algum tempo atrás, dez anos ou mais?

— Esse é o homem. Lembra-se dos comentários sobre isso?

— Certamente. E o que é igualmente pertinente, eu conhecia o autor do mais incisivo de todos. O senhor também. Deve se lembrar de John Harrington; ele estava na casa de John em nossa época.

— Oh, lembro-me bem, de fato, embora eu ache que não o vi nem ouvi nada sobre ele entre o momento em que vim até aqui e o dia em que li o relato do inquérito sobre ele.

— Inquérito? — perguntou uma das senhoras. — O que houve com ele?

— Ora, o que aconteceu foi que ele caiu de uma árvore e quebrou o pescoço. Mas o enigma era o que poderia tê-lo induzido a subir lá. Era um negócio misterioso, devo dizer. Aqui estava esse homem, não um sujeito atlético, sim? E sem nenhuma peculiaridade excêntrica sobre ele que jamais fora notada. Ele caminhava para casa por uma estrada secundária tarde da noite; não havia vagabundos por ali; era conhecido e apreciado nas redondezas; e, de repente, ele começa a correr como um louco, perde o chapéu, a bengala e finalmente sobe em uma árvore, uma árvore bastante difícil, com raízes na grama. Um galho morto cede, ele cai junto e quebra o pescoço; lá ele é encontrado na manhã seguinte com a mais terrível face de medo que poderia ser imaginada. Era bastante evidente, é claro, que ele havia sido perseguido por alguma coisa, e as pessoas falavam de cães selvagens e feras escapando de zoológicos, mas não havia nada a ser feito a respeito disso. Isso foi em 89, e acredito que seu irmão Henry, de quem também me lembro de Cambridge, mas provavelmente o senhor não, está tentando encontrar uma explicação desde então. Ele, é claro, insiste que havia maldade nisso, mas não sei. É difícil entender como pode ter acontecido.

Depois de um tempo, a conversa voltou para *História da Bruxaria*.

— O senhor já viu isso? — perguntou o anfitrião.

— Sim, claro. — respondeu o secretário. — Cheguei a ler.

— Era tão ruim quanto parecia ser?

— Oh, em termos de estilo e forma, totalmente desesperador. Ele merecia toda a destruição que conseguiu. Mas, além disso, era um livro perverso. O homem acreditou em cada palavra do que estava dizendo, e estaria muito enganado se ele não tivesse experimentado a maior parte de suas receitas.

— Bem, só me lembro da crítica de Harrington sobre ele, e devo dizer que, se fosse o autor, teria reprimido minha ambição literária para sempre. Eu nunca teria levantado minha cabeça novamente.

— Não teve esse efeito no caso em questão. Mas vamos, são três e meia. Eu preciso ir.

No caminho de volta para casa, a esposa do secretário disse:

— Espero que aquele homem horrível não descubra que Sr. Dunning teve algo que ver com a rejeição de seu artigo.

— Não acho que haja muita chance disso — completou o secretário. — O próprio Dunning não vai mencionar isso, pois esses assuntos são confidenciais, e nenhum de nós o fará pelo mesmo motivo. Karswell não saberá seu nome, pois Dunning ainda não publicou nada sobre o mesmo assunto. O único perigo é que Karswell pode descobrir, se ele perguntar ao pessoal do Museu Britânico quem tinha o hábito de consultar manuscritos sobre alquimia. Não posso dizer a eles que não mencionem Dunning, posso? Isso os faria falar imediatamente. Vamos torcer para que isso não ocorra.

No entanto, Sr. Karswell era um homem astuto.

Tudo isso era quase um prólogo. Em uma noite um pouco mais adiante na mesma semana, Sr. Edward Dunning estava voltando do Museu Britânico, onde estivera fazendo pesquisas, para a confortável casa nas proximidades onde morava sozinho, cuidada por duas excelentes mulheres que haviam trabalhado muito tempo para ele. Não há nada que ser adicionado a título de descrição dele ao que já ouvimos. Vamos acompanhá-lo enquanto segue seu tranquilo caminho para casa.

Um trem o levou a cerca de uma ou duas milhas de sua casa, e um bonde elétrico a um estágio adiante. O trilho terminou em um ponto que estava a cerca de trezentos metros de sua porta da frente. Ele estava farto de ler quando entrou no vagão e, de fato, a luz não permitia que ele fizesse mais do que estudar os anúncios nas vitrines que ficavam à sua frente enquanto estava sentado. Como não era natural, os anúncios nesse trajeto em particular eram objetos de sua contemplação frequente e, com a possível exceção do diálogo brilhante e convincente entre Sr. Lamplough e um eminente KC sobre a questão da Salina Pirética, nenhum deles ofereceu muito espaço para sua imaginação. Estou enganado.

Havia um na lateral do vagão, mais distante dele, que não parecia familiar. Estava em letras azuis em um fundo amarelo, e tudo o que conseguiu ler sobre ele foi um nome, John Harrington, e algo como uma data. Não poderia ser do interesse dele saber mais, porém, apesar de tudo, enquanto o vagão se esvaziava, ele estava curioso o suficiente para se mover pelos assentos até que pudesse ler bem. Sentiu-se um pouco recompensado por seu empenho; o anúncio *não* era do tipo usual. Assim estava apresentado:

> *Em memória de John Harrington, F.S.A., de Laurels, Ashbrooke. Morreu em 18 de setembro de 1889. Três meses foram autorizados.*

O vagão parou. Sr. Dunning, ainda contemplando as letras azuis no fundo amarelo, teve de ser convidado a se levantar por uma palavra do condutor.

— Peço perdão — disse ele. — Estava olhando aquele anúncio. É muito estranho, não é?

O condutor leu lentamente e disse:

— Bem, nossa! — disse ele. — Eu nunca tinha visto esse aí. Bem, isso é uma questão, não é? Alguém está fazendo piadas aqui, eu acho.

Ele pegou um espanador e o aplicou, não sem desinfetante, na vidraça e depois no exterior.

— Não — disse ele ao voltar —, isso não é nenhuma intervenção, parece-me que era normal *no* vidro. O que quero dizer na substância, como se pode dizer. O que acha, senhor?

Sr. Dunning examinou, esfregou com a luva e concordou.

— Quem cuida desses anúncios e dá permissão para que sejam colocados? Eu gostaria que o senhor perguntasse. Vou apenas anotar as palavras.

Nesse momento, veio uma chamada do maquinista:

— Fique atento, George, o tempo acabou.

— Tudo bem, tudo bem. Há algo mais que está acontecendo nesse final de dia. Venha e olhe este vidro aqui.

— O que há de errado com o vidro? — perguntou o maquinista ao se aproximar. — Bem, e quem é Arrington? De que se trata?

— Só perguntei quem foi o responsável por colocar os anúncios em seus vagões e disse que gostaria de fazer algumas perguntas sobre este.

— Bem, senhor, isso tudo é feito no escritório da Companhia, esse trabalho é... É nosso Sr. Timms quem cuida disso, creio eu. Quando nos retirarmos esta noite, deixarei recado e, talvez, poderei dizer ao senhor amanhã, caso o senhor esteja passando por aqui.

Isso foi tudo o que se passou naquela noite. Sr. Dunning simplesmente se deu ao trabalho de procurar Ashbrooke e descobriu que estava em Warwickshire.

No dia seguinte, foi à cidade novamente. O vagão (era o mesmo vagão) estava muito cheio pela manhã para que falasse com o condutor; ele podia apenas ter certeza de que o curioso anúncio estava lá. O fim do dia trouxe mais um elemento de mistério à questão. Ele havia perdido o bonde, ou preferia ir a pé para casa, mas, em uma hora bem tardia e enquanto ele trabalhava no escritório, uma das criadas veio dizer que dois homens dos bondes estavam ansiosos para falar com ele. Essa foi uma lembrança do anúncio que ele havia, diz ele, quase esquecido. Ele mandou os homens entrarem, e ali estavam o condutor e o maquinista do vagão, e, quando o pedido de um refresco foi atendido, perguntou o que Sr. Timms tinha para dizer sobre o anúncio.

— Bem, senhor, foi por isso que tomamos a liberdade de falar — disse o condutor. — Sr. Timms disse a William que o problema disso era o seguinte: segundo ele, não havia anúncio dessa descrição nem enviado, nem encomendado, nem pago, nem colocado, nem pensado, muito menos estando ali, e disse que estávamos bancando os idiotas fazendo-o perder seu tempo. E eu disse que, se esse era o caso, tudo o que pedia, Sr. Timms, era pegá-lo e olhar por si mesmo. Disse que claro que, se não estivesse lá, ele poderia buscar-me e chamar-me quando quisesse. Ele disse "Certo, eu vou", e nós fomos imediatamente. Agora, deixo ao senhor, se esse anúncio... como o chamamos, com Arrington nele, não era tão simples como sempre se vê qualquer coisa, letras azuis em vidro estranho, e como eu disse nesse momento, e o senhor me acompanhou que não era uma mancha no vidro, porque, o senhor se lembra, se lembra de mim esfregando-o com o meu espanador. Tenho certeza do que faço, muito claramente, não? O senhor pode dizer bem, eu não acho. Sr. Timms, ele entra naquele vagão com um pouco de luz... Não, ele disse a William para deixar a luz lá fora. Ali ele pergunta: "Agora, onde está o seu precioso anúncio do qual nós ouvimos falar tanto?". Respondi ao colocar minha mão sobre ele: "Aqui está, Sr. Timms".

O condutor fez uma pausa.

— Bem — disse Sr. Dunning —, ele tinha desaparecido, eu suponho. Quebrado?

— Quebrado! Não. Não há, se acredita em mim, não há mais vestígios dessas letras, letras azuis que estavam... naquele espaço sobre vidro, do que... Bem, não é *bom* falar. Nunca vi uma coisa dessas. Deixo para William aqui se... Mas veja, como eu disse, onde está o benefício para mim em continuar com isso?

— E o que disse Sr. Timms?

— Ora, ele fez o que podia fazer... Chamou-nos de tudo o de que não gostava, e também não sei se o culpo tanto. Mas o que pensamos, William e eu fizemos, foi como vimos o senhor tomar um pouco de nota sobre isso... Bem, creio que escreven...

— Eu certamente fiz isso e as tenho agora. Quer que eu fale com Sr. Timms e mostre a ele? Foi por isso que veio?

— Veja, eu não disse isso? — disse William. — Lide com um cavalheiro se puder seguir um. Essa é minha palavra. Agora, talvez, George, o senhor vai permitir, pois eu não fui tão intrometido esta noite.

— Muito bem, William, muito bem, não há necessidade de continuar como se tivesse de me guiar até aqui. Eu vim quieto, não vim? Ao mesmo tempo, não devíamos ocupar seu tempo dessa maneira, senhor. Porém se isso acontecesse e o senhor pudesse encontrar tempo para ir até o escritório da Companhia pela manhã e contar ao Sr. Timms o que viu por si mesmo, teríamos uma grande obrigação para com o senhor pela questão. Vê que não está sendo chamado... Bem, uma coisa e outra coisa, como acreditamos, mas se eles enfiaram na cabeça no problema, como víamos as coisas como uma guerra, ora, uma coisa leva a outra, e onde deveríamos estar em uma dúzia de vezes... Bem, o senhor pode entender o que quero dizer.

Em meio a mais elucidações da proposta, George, conduzido por William, deixou a sala.

A incredulidade de Sr. Timms, que foi sinalizada para Sr. Dunning, foi muito modificada no dia seguinte pelo que este último poderia dizer e mostrar-lhe; e qualquer marca ruim que poderia ter sido anexada aos nomes de William e George não ocorrera para permanecer nos livros da Companhia. Porém não havia nenhuma explicação.

O interesse de Sr. Dunning no assunto foi mantido vivo por um incidente da tarde seguinte. Ele estava andando de seu clube para o trem e notou um pouco à frente um homem com um punhado de folhetos como são distribuídos aos pedestres por agentes de empresas de empreendedorismo. Esse agente não escolheu uma rua muito movimentada para suas operações. Na verdade, Sr. Dunning não o viu desfazer-se de um único folheto antes de ele mesmo chegar ao local. Um foi enfiado em sua mão enquanto passava. A mão que lho deu tocou a dele, e ele experimentou uma espécie de pequeno choque assim que isso ocorreu. Parecia, não naturalmente, áspera e quente. Ele olhou de relance para o entregador, mas a impressão que ele teve era tão clara que, por mais que tentasse contá-la posteriormente, nada viria. Ele estava andando rapidamente e, como ele seguiu, olhou para o papel. Era azul. O nome de Harrington em grandes letras maiúsculas chamou sua atenção. Ele parou, assustou-se e lembrou-se do vidro. No instante seguinte, o folheto foi roubado de sua mão por um homem que passou correndo e irrecuperavelmente desapareceu. Ele correu alguns passos para trás, mas onde estava o ladrão? E onde estava o entregador?

Foi em um estado de espírito um tanto pensativo que Sr. Dunning passou o dia seguinte na Sala de Manuscritos Raros do Museu Britânico, preencheu ingressos para Harley 3586 e alguns outros volumes. Depois de alguns minutos, foram trazidos para ele, e estava acertando o que queria primeiro sobre a mesa quando pensou ter ouvido seu próprio nome sussurrado atrás de si. Virou-se às pressas e, ao fazê-lo, derrubou sua pequena pasta de papéis, que ficaram espalhados no chão. Ele não viu ninguém que reconheceu, exceto um dos funcionários encarregados da sala, que balançou a cabeça para ele, e começou a recolher seus papéis. Ele pensou que já havia recolhido todos estes e preparava-se para trabalhar, quando um robusto cavalheiro na mesa atrás dele, que estava se levantando para sair e havia recolhido seus próprios pertences, tocou-o no ombro, dizendo:

— Posso dar-lhe isso? Creio que seja seu. — E entregou-lhe uma página que faltava.

— É meu, obrigado — disse Sr. Dunning.

No momento seguinte, o homem tinha saído da sala. Ao terminar seu trabalho durante a tarde, Sr. Dunning teve uma conversa com o assistente encarregado e aproveitou a ocasião para perguntar quem era o robusto cavalheiro.

— Oh, é um homem chamado Karswell — disse o assistente. — Ele me perguntou há uma semana quem eram as grandes autoridades sobre alquimia, e é claro que eu disse a ele que o senhor era o único no país. Vou ver se consigo encontrá-lo; ele gostaria de conhecê-lo, tenho certeza.

— Pelo amor de Deus, não faça isso! — disse Sr.Dunning. — Estou particularmente ansioso para evitá-lo.

— Oh! Tudo bem. — respondeu o assistente. — Ele não vem aqui com frequência. Ouso dizer que o senhor não vai encontrá-lo.

Mais de uma vez no caminho para casa naquele dia, Sr. Dunning confessou a si mesmo que não esperava sua empolgação habitual para uma noite solitária. Parecia-lhe que algo mal definido e impalpável tinha interferido entre ele e seus companheiros; havia assumido seu comando, por assim dizer. Ele queria sentar-se perto de seus vizinhos no trem e no bonde, mas, como não tinha tanta sorte, tanto o trem quanto o vagão estavam marcadamente vazios. O condutor George foi atencioso e parecia estar absorvido por cálculos quanto ao número de passageiros. Ao chegar a sua casa, encontrou Dr. Watson, seu médico, à sua porta.

— Tive de perturbar seus afazeres domésticos, eu sinto muito em dizer, Dunning. Ambas as suas criadas *hors de combat*. Na verdade, tive de mandá-las para o Hospital.

— Deus do céu! Qual é o problema?

— É algo como envenenamento por ptomaína, eu acho. O senhor não sofreu, eu posso ver, ou não estaria andando por aí. Eu acho que elas vão ficar bem.

— Meu Deus! O senhor tem alguma ideia do que causou isso?

— Bem, elas me disseram que compraram alguns mariscos de um vendedor ambulante na hora do jantar. Isso é curioso. Fiz investigações, mas não consigo descobrir se algum vendedor ambulante já esteve em outras casas na rua. Eu não poderia enviar um recado ao senhor; ele demoraria pouco para chegar. Venha jantar comigo esta noite, de qualquer maneira, e nós podemos fazer planos para continuar. Oito horas. Não fique muito ansioso.

Assim a noite solitária foi evitada, às custas de alguma angústia e inconveniência, isso é verdade. Sr. Dunning passou um tempo agradável com o médico, um imigrante que chegara mui recentemente, e voltou para sua solitária casa por volta das onze e meia. A noite que ele passou não é uma das de que ele se lembra com satisfação alguma. Ele estava na cama, e a luz estava acesa. Estava se perguntando se a diarista viria cedo o suficiente para pegar para ele um pouco de água quente na manhã seguinte, quando ouviu o som inconfundível da porta de seu escritório se abrindo. A seguir, nenhum passo foi ouvido no corredor, mas o som deveria significar alguma maldade, pois ele sabia que tinha fechado a porta naquela noite depois de guardar seus papéis em sua mesa. Foi mais a vergonha do que a coragem que o induziu a sair discretamente para o corredor e inclinar-se em direção à escada, vestido com seu pijama, para ouvir.

Nenhuma luz era visível, nenhum som apareceu mais, apenas uma rajada de calor ou mesmo ar quente jogado por um instante em volta de suas pernas. Ele voltou e decidiu trancar-se em seu quarto. Houve, porém, mais desconforto. Ou uma empresa econômica da região tinha decidido que sua luz não seria necessária nas horas tardias e tinha parado de funcionar, ou então algo estava errado com o medidor. Em qualquer caso, o efeito era uma luz elétrica que estava desligada. A atitude óbvia era encontrar um fósforo e também consultar o relógio; ele bem sabia quantas horas de desconforto o esperavam. Então colocou a mão no canto bem conhecido debaixo do travesseiro, mas não chegou tão longe. O que tocou foi, de acordo com seu relato, uma boca com dentes e com cabelo logo acima; ele declara não se tratar da boca de um ser humano. Não acho que seja útil adivinhar o que ele disse ou fez, mas fora para um quarto reserva com a porta trancada antes que seu ouvido estivesse claramente consciente de novo. E lá passou o resto de uma noite miserável, procurando cada momento por algum problema à porta, mas nada apareceu.

A aventura de volta ao seu próprio quarto pela manhã foi permeada de muitas escutas e tremores. A porta estava aberta, felizmente, e as cortinas estavam para cima. As criadas tinham saído de casa antes da hora de colocá-las para baixo. Não havia, para ser breve, nenhum traço de um ocupante. O relógio também estava em seu lugar habitual; nada foi mexido, apenas a porta do guarda-roupa se abriu de acordo com seu corriqueiro hábito. A campainha na porta dos fundos agora anunciou a diarista que tinha sido requisitada na noite anterior, e, nervoso, Sr. Dunning, depois de deixá-la entrar, continuou sua busca em outras partes da casa. Foi igualmente inútil.

O dia assim começado era bastante desanimador. Ele não ousou ir ao Museu. Apesar do que o assistente havia dito, Karswell poderia aparecer lá, e Dunning sentia que não conseguiria lidar com um estranho provavelmente hostil. Sua própria casa era odiosa, ele odiava depender do médico. Ele passou algum pouco tempo em uma chamada com o Hospital, em que foi ligeiramente aplaudido por um bom relatório de sua governanta e criada. Perto da hora do almoço, foi para o clube, novamente sentindo um vislumbre de satisfação ao ver o secretário da Associação. No almoço, Dunning disse ao seu amigo a mais profunda de suas aflições, mas não conseguia falar daquelas que pesavam mais sobre seus pensamentos.

— Meu pobre homem querido, que perturbação! — disse o secretário. — Olhe aqui, estamos sozinhos em casa, com certeza. O senhor deve contar conosco. Sim! Sem desculpas. Envie suas coisas esta tarde.

Dunning não conseguia negar. Ele estava, na verdade, ficando agudamente ansioso com o passar das horas, quanto ao que aquela noite poderia ter ao aguardá-lo. Estava quase feliz quando correu para casa para fazer as malas.

Seus amigos, quando tiveram tempo de avaliá-lo, ficaram bastante chocados com sua aparência sombria e fizeram o possível para mantê-lo observado. Não totalmente sem sucesso, mas, quando os dois homens fumavam sozinhos mais tarde, Dunning tornou-se esquisito novamente. De repente, ele disse:

— Gayton, creio que o alquimista sabe que fui eu quem rejeitou seu artigo.

Gayton assobiou e perguntou:

— O que o faz pensar isso?

Dunning contou sobre sua conversa com o assistente do Museu, e Gayton foi capaz apenas de concordar que a suposição parecia provavelmente correta.

— Não que eu me importe muito — continuou Dunning —, porém poderia ser um incômodo se nos encontrássemos. Ele é um sujeito mal-humorado, imagino.

A conversa ficou novamente esquisita. Gayton ficou cada vez mais impressionado com a desolação que tomou conta do rosto e da postura de Dunning, e, finalmente, embora com um considerável esforço, perguntou-lhe à queima-roupa se algo sério o estava incomodando. Dunning soltou uma exclamação de alívio antes de dizer:

— Eu estava morrendo para tirar isso da minha mente! O senhor sabe algo sobre um homem chamado John Harrington?

Gayton ficou completamente surpreso e, no momento, podia apenas perguntar o motivo. Então a história completa das experiências de Dunning foi contada: o que acontecera no vagão do bonde, em sua própria casa e na rua; a perturbação de espírito que se apoderou dele e ainda o segurou; e terminou com a pergunta com a qual havia começado. Gayton não sabia como responder. Contar a história do fim de Harrington talvez fosse certo, pois Dunning estava nervoso. A história era sombria e ele não foi capaz de não perguntar se havia um elo entre esses dois casos na pessoa de Karswell. Foi uma concessão difícil para um cientista, mas poderia ser facilitada pela expressão "sugestão hipnótica". Por fim, ele decidiu que sua resposta esta noite deveria ser cautelosa; conversaria sobre a situação com sua esposa. Então disse que conheceu Harrington em Cambridge, e acreditava que tinha morrido repentinamente em 1889, acrescentando alguns detalhes sobre o homem e seu trabalho publicado. Ele conversou sobre o assunto com a Sra. Gayton e, como havia previsto, ela imediatamente chegou à conclusão de que havia sido amaldiçoado. Foi ela quem o lembrou do irmão sobrevivente, Henry Harrington, e também quem sugeriu que ele poderia ser contatado por meio de seus anfitriões do dia anterior.

— Ele pode ser um excêntrico sem esperança — interrompeu Gayton.

— Isso pode ser averiguado pelos Bennett, que o conheceram — retrucou Sra. Gayton ao se comprometer a ver os Bennett no dia seguinte.

Não é necessário contar em mais detalhes as etapas nas quais Henry Harrington e Dunning estiveram reunidos.

A próxima cena que precisa ser narrada é uma conversa que aconteceu entre os dois. Dunning contara a Harrington as maneiras estranhas pelas quais o nome do morto fora trazido à sua presença e, além disso, dissera algo sobre suas próprias experiências seguintes. Em seguida, perguntou se Harrington estava disposto, em troca, a relembrar qualquer uma das circunstâncias relacionadas com a morte de seu irmão. Pode se imaginar a surpresa de Harrington com o que ouviu, mas sua resposta foi dada prontamente:

— John estava em um estado muito estranho, inegavelmente, de vez em quando e durante algumas semanas antes da catástrofe, embora não imediatamente antes. Havia várias coisas, e a principal impressão que ele teve era pensar que estava sendo seguido. Sem dúvida ele era um homem impressionável, mas nunca tivera fantasias como essa antes. Não consigo tirar da minha mente que havia uma maldição agindo, e o que o senhor me conta faz-me lembrar muito meu irmão. O senhor consegue pensar em algum elo possível?

— Há apenas um que se está formando vagamente em minha mente. Disseram-me que seu irmão revisou um livro com muita severidade não muito antes de morrer, e recentemente, por acaso, cruzei o caminho do homem que escreveu aquele livro de uma maneira que o deixaria ressentido.

— Não me diga que o nome do homem era Karswell.

— Como? Seu nome é exatamente esse.

Henry Harrington inclinou-se.

— Isso é definitivo para mim. Agora devo explicar melhor. Por algo que ele disse, tenho certeza de que meu irmão John estava começando a acreditar, muito contra sua vontade, que Karswell estava no centro de seu problema. Quero dizer-lhe o que me parece ter relação com a situação. Meu irmão era um ótimo músico e costumava ir aos espetáculos na cidade. Ele voltou, três meses antes de morrer, de um desses e me deu sua programação para olhar, uma programação analítica. Ele sempre as mantinha.

— "Eu quase perdi este", disse ele. "Suponho que devo ter deixado cair. De qualquer forma, eu estava procurando embaixo do meu assento e nos meus bolsos e assim por diante, e um homem ao meu lado me ofereceu o dele. Disse que poderia dar-me, pois não tinha mais uso para ele, e foi embora logo depois. Não sei quem ele era, um homem corpulento e bem barbeado. Eu lamentaria perder isso. Claro que eu poderia ter comprado outro, mas esse não me custou nada."

— Em outra ocasião, ele me disse que se havia sentido muito desconfortável tanto no caminho para o hotel quanto durante a noite. Eu junto os fatos agora ao pensar sobre isso. Então, não muito tempo depois, ele estava revendo esses programas, arrumando-os para guardá-los e, nesse em particular, que, aliás, eu mal havia olhado, ele encontrou bem perto do início uma tira de papel com algumas letras muito estranhas em vermelho e preto, cuidadosamente feitas; parecia-me mais com letras rúnicas do que qualquer outra coisa.

— "Ora", disse ele, "isso deve pertencer ao meu companheiro corpulento. Isso deve retornar a ele; pode ser uma cópia de algo. Evidentemente, alguém se preocupou com isso. Como posso encontrar seu endereço?"

— Conversamos um pouco sobre o assunto e concordamos que não valia a pena procurá-lo por esse assunto e que era melhor meu irmão cuidar do homem no próximo espetáculo, ao qual ele iria muito em breve. O papel estava sobre o livro, e nós dois estávamos perto do fogo; era uma noite fria e de vento no verão. Suponho que a porta se tenha aberto, embora eu não tenha percebido. De qualquer forma, uma rajada, uma rajada quente, apareceu de repente entre nós, levantou o papel e o levou direto para o fogo. Era um papel leve, fino, que queimou e logo subiu pela chaminé em uma única cinza.

— "Bem", eu disse, "agora não será possível devolver." Ele não disse nada por um minuto e depois, meio zangado, afirmou: "Não, não posso, mas por que o senhor deveria repetir isso já não entendo". Observei que não disse isso mais de uma vez. "Quer dizer não mais do que quatro vezes", foi tudo o que ele disse.

— Lembro-me de tudo isso com muita clareza, sem nenhum bom motivo; agora vamos direto ao ponto. Não sei se olhou aquele livro de Karswell que meu infeliz irmão revisou. Não é provável que o senhor deva, mas eu o fiz, tanto antes de sua morte como depois dela. A primeira vez que fizemos a análise disso foi juntos. Não foi escrito em nenhum estilo, infinitivos divididos e todo tipo de coisa que faz surgir uma avalanche de Oxford. Então não havia nada que o homem não engolisse, misturando mitos clássicos e histórias da *Era de Ouro* com relatos de costumes selvagens de hoje, tudo muito apropriado, sem dúvida, se souber como usá-los, mas ele não sabia. Ele parecia colocar a *Era de Ouro* e o *Ramo de*

Ouro exatamente no mesmo nível, e parecia acreditar em ambos. Em suma, uma exibição lamentável. Bem, depois do infortúnio, examinei o livro novamente. Não foi melhor do que antes, mas a impressão que dessa vez deixou em minha mente era diferente. Eu suspeitei, como lhe disse, que Karswell tinha alguma maldição para com meu irmão e que, de alguma forma, fora responsável pelo que tinha acontecido; e ali seu livro me parecia, de fato, um objeto muito sinistro. Um capítulo em particular me impressionou, no qual ele falou de "invocar as Runas" em pessoas, fosse com o propósito de ganhar sua afeição, fosse tirá-las do caminho, talvez mais especialmente o último. Ele falou de tudo isso de um modo que realmente me pareceu demonstrar um conhecimento real. Não tenho tempo para entrar em detalhes, mas o resultado é que tenho quase certeza, pelas informações recebidas, de que o homem no show era Karswell. Suspeito... Mais do que suspeito que o papel era importante, e acredito que, se meu irmão tivesse podido devolvê-lo, talvez estivesse vivo agora. Portanto, ocorre-me perguntar se o senhor tem algo que acrescentar ao que eu disse.

Como resposta, Dunning tinha o episódio da Sala de Manuscritos do Museu Britânico para relatar.

— Então ele entregou ao senhor alguns papéis. O senhor os examinou? Não? Porque devemos, se permitir, examiná-los imediatamente e com muito cuidado.

Eles foram para a casa ainda vazia. Estava vazia, pois as duas criadas ainda não puderam retornar ao trabalho.

A pasta de papéis de Dunning estava juntando poeira na escrivaninha. Nela estavam os cadernos para rascunho de tamanho pequeno que ele usava para suas transcrições, e de um deles, ao pegá-lo, uma tira de papel fino e leve escorregou e esvoaçou pela sala com incrível rapidez. A janela estava aberta, mas Harrington a fechou, bem a tempo de pegar o papel e segurá-lo.

— Foi o que pensei — disse ele. — Isso pode ser a mesma coisa que foi dada ao meu irmão. O senhor deve tomar cuidado, Dunning. Isso pode significar algo muito sério.

Uma longa análise ocorreu. O papel foi examinado minuciosamente. Como Harrington havia dito, os caracteres nele eram mais parecidos com Runas do que qualquer outra coisa, mas não decifráveis por nenhum dos homens, e ambos hesitaram em copiá-los, por medo, como confessaram, de perpetuar qualquer propósito maligno que pudessem ocultar. Portanto, permaneceu impossível, se é que posso antecipar um pouco, averiguar o que foi transmitido nessa curiosa mensagem ou anotação. Tanto Dunning quanto Harrington estão firmemente convencidos de que tinha o efeito de trazer seus donos para uma companhia muito indesejável. Aquilo deve ser devolvido à fonte de onde veio, eles concordaram, e, além disso, a única maneira segura e certa era um serviço pessoal, e aqui o artifício seria necessário, pois Dunning era conhecido de vista por Karswell. Ele deve, por um lado, alterar sua aparência raspando a barba. Mas então o golpe não seria descoberto? Harrington achou que eles poderiam pensar no tempo. Ele sabia a data do espetáculo em que a "mancha negra" fora colocada em seu irmão; era 18 de junho. A morte ocorreu em 18 de setembro. Dunning o lembrou de que três meses haviam sido mencionados na inscrição na janela do vagão.

— Talvez o meu também possa ser uma união de três meses — acrescentou ele, com uma risada desanimada. — Eu acredito que posso anotar no meu diário. Sim, 23 de abril foi o dia do Museu. Isso nos leva a 23 de julho. Agora, o senhor sabe, torna-se extremamente importante para mim saber qualquer coisa que me diga sobre o progresso dos problemas de seu irmão, se for possível para o senhor falar sobre isso.

— É claro. Bem, a sensação de ser observado sempre que estava sozinho era o mais angustiante para ele. Depois de um tempo, comecei a dormir no quarto dele, e ele estava melhor com isso, mas, ainda assim, falava muito durante o sono. Sobre o quê? É sensato insistir nisso, pelo menos antes que as coisas fiquem claras? Acho que não, mas posso dizer-lhe algo. Duas coisas vieram para ele pelo correio durante aquelas semanas, ambas com carimbo de Londres e endereçadas em caligrafia comercial. Um era uma xilogravura de Bewick's, rudemente arrancada da página, uma que mostra uma estrada iluminada pela lua e um homem caminhando por ela, seguido por uma terrível criatura demoníaca. Abaixo dela estavam escritas as linhas "Antigo Marinheiro", que eu suponho que a imagem mostra, sobre aquele que, tendo uma vez olhado em volta:

caminha,
E não vira mais a cabeça,
Porque ele conhece um terrível demônio
Que caminha logo atrás.

— O outro era um calendário, como os que os comerciantes costumam enviar. Meu irmão não deu atenção, mas olhei para isso depois de sua morte e descobri que tudo depois de 18 de setembro tinha sido destruído. O senhor pode ficar surpreso por ele ter saído sozinho na noite em que foi morto, mas o fato é que, durante os últimos dez dias ou mais de sua vida, ele esteve completamente livre da sensação de estar sendo seguido ou vigiado.

O fim da análise foi esse. Harrington, que conhecia um vizinho de Karswell, achou que encontrara uma maneira de vigiar seus movimentos. Caberia a Dunning estar pronto para tentar cruzar o caminho de Karswell a qualquer momento, para manter o papel seguro e em um local de fácil acesso.

Eles se separaram. As semanas seguintes foram, sem dúvida, cheias de uma forte pressão sobre os nervos de Dunning. A intangível barreira que parecia erguer-se ao seu redor no dia em que recebeu o artigo, gradualmente, desenvolveu-se em uma escuridão taciturna que o isolou dos meios de fuga a que se poderia pensar que poderia recorrer. Não havia ninguém por perto para sugerir isso, e ele parecia privado de toda iniciativa. Ele esperou com ansiedade inexprimível enquanto maio, junho e início de julho passavam, por uma ordem de Harrington. Mas durante todo esse tempo Karswell permaneceu imóvel em Lufford.

Por fim, menos de uma semana antes da data que ele considerava o fim de suas atividades terrenas, chegou um telegrama:

Deixe Victoria no barco quinta à noite. Não perca. Venho hoje à noite. Harrington.

Ele chegou dessa forma, e eles fizeram planos. O barco saiu de Victoria às nove, e sua última parada antes de Dover foi Croydon West. Harrington vigiaria Karswell em Victoria e tomaria conta de Dunning em Croydon, chamando-o se necessário por um nome combinado. Dunning, o mais disfarçado possível, não deveria ter etiqueta nem iniciais em nenhuma bagagem de mão, devendo a todo custo ter o papel consigo.

O suspense de Dunning enquanto esperava na plataforma de Croydon não preciso tentar descrever. Sua sensação de perigo durante os últimos dias só foi aguçada pelo fato de que a nuvem ao redor dele estava perceptivelmente mais leve, mas o alívio era um sintoma sinistro, e, se Karswell o iludisse agora, a esperança desapareceria. E havia muitas chances de tudo isso acontecer. O barulho da viagem poderia ser um artifício. Os vinte minutos em que ele caminhou pela plataforma e perseguiu todos os funcionários com indagações sobre o barco foram tão amargos quanto qualquer um que ele tenha passado. Mesmo assim, o barco chegou, e Harrington estava na janela. Era importante, é claro, que não houvesse nenhum reconhecimento. Assim, Dunning entrou no outro lado da carruagem do corredor e só aos poucos foi até o compartimento onde estavam Harrington e Karswell. Ele ficou satisfeito, de modo geral, ao ver que o barco estava longe de estar cheio.

Karswell estava alerta, mas não deu nenhum sinal de reconhecimento. Dunning ocupou o assento não imediatamente de frente para ele e tentou, em vão no início, depois com o domínio crescente de suas faculdades, calcular as possibilidades de fazer a entrega desejada. Em frente a Karswell, e ao lado de Dunning, havia uma pilha de casacos de Karswell no assento. Não adiantaria enfiar o papel dentro deles. Ele não estaria seguro, ou não se sentiria assim, a menos que de alguma forma aquilo pudesse ser oferecido por ele e aceito pelo outro. Havia uma bolsa aberta e com papéis dentro. Ele conseguiria escondê-la para que talvez Karswell pudesse deixar o vagão sem ela e, então, encontrá-lo para devolvê-la? Esse foi o plano que se propôs. Se ele pudesse ter um conselho de Harrington! Porém isso não era possível. Os minutos passaram. Mais de uma vez Karswell se levantou e saiu para o corredor. No momento seguinte, Dunning estava a ponto de tentar fazer a bolsa cair do assento, mas chamou a atenção de Harrington ao ler um aviso. Karswell estava observando do corredor, provavelmente para ver se os dois homens se reconheciam. Ele voltou, mas estava evidentemente agitado. Quando se levantou pela terceira vez, a esperança surgiu, pois algo escorregou de seu assento e caiu com quase nenhum ruído no chão. Karswell saiu mais uma vez, fora do alcance da janela do corredor. Dunning pegou o que havia caído e viu que a chave estava em suas mãos na forma de uma das caixas de passagens de Cook, com as passagens dentro. Essas caixas têm um bolso na parte de cima e, em poucos segundos, o papel de que ouvimos falar estava ali. Para tornar a operação mais segura, Harrington parou à porta do compartimento e mexeu na cortina. Estava feito, e feito na hora certa, pois o trem agora estava diminuindo a velocidade em direção a Dover.

Em momento seguinte, Karswell entrou novamente no vagão. Ao fazê-lo, Dunning, conseguindo, ele não sabia como, suprimir o tremor em sua voz, entregou-lhe a caixa de ingressos dizendo:

— Posso devolver-lhe isto, senhor? Creio que seja seu.

Depois de uma rápida olhada na passagem dentro da caixa, Karswell proferiu a resposta esperada:

— Sim, é. Muito obrigado, senhor. — E colocou-a no bolso do paletó.

Mesmo nos poucos momentos que restaram, momentos de tensa ansiedade, pois não sabiam a que uma descoberta prematura do papel poderia levar, os dois homens notaram que a estrada parecia escurecer em volta deles e ficar mais quente, e que Karswell estava inquieto e oprimido. Ele puxou a pilha de casacos soltos para perto de si, jogou-a para trás como se a repelisse e sentou-se tenso ao olhar ansiosamente para os dois. Eles, com ansiedade nauseante, ocuparam-se em recolher seus pertences; mas ambos pensaram que Karswell estava prestes a falar quando o trem parou em Dover Town. Era natural que no curto espaço entre a cidade e o cais os dois entrassem no corredor.

No cais, eles se retiraram, mas o barco estava tão vazio, que foram forçados a permanecer na plataforma até que Karswell passasse na frente deles com um carregamento a caminho do bote, e só então seria seguro para eles trocarem um aperto de mão e uma palavra de alívio concentrado. O efeito sobre Dunning foi fazê-lo quase desmaiar. Harrington o fez encostar-se na parede, enquanto ele próprio avançava alguns metros à vista do passadiço para o bote, ao qual Karswell havia chegado. O homem à frente examinou sua passagem e, carregado de casacos, desceu para o barco. De repente, o oficial gritou para ele:

— Senhor, desculpe-me, o outro cavalheiro mostrou a passagem?

— O que diabos quer dizer com outro cavalheiro? — a voz rosnada de Karswell gritou de volta do convés.

O homem se abaixou e olhou para ele, e Harrington o ouviu dizer a si mesmo:

— Diabos? Bem, não sei. — E então, em voz alta: — Errei, senhor, devem ter sido seus casacos! Peço perdão. — E então, em voz alta para um subordinado próximo a ele: — Ele tem um cachorro consigo, ou o quê? Engraçado: eu poderia jurar que não estava sozinho. Tudo bem, tanto faz. Eles terão de cuidar disso a bordo. Já zarpou. Mais uma semana e estaremos recebendo os passageiros de férias.

Em mais cinco minutos, não havia nada além das luzes decrescentes do barco, a longa fila de lâmpadas de Dover, a brisa noturna e a lua.

Por muito tempo os dois ficaram sentados em seu quarto em Lord Warden. Apesar da remoção de sua maior ansiedade, eles foram oprimidos com uma dúvida, não das mais leves. Eles estavam sendo justos ao enviar um homem para a morte, como acreditavam ter feito? Não deviam avisá-lo, pelo menos?

— Não — disse Harrington. — Se ele é o assassino, e penso que seja, não fizemos nada além do que é justo. Mesmo assim, se achar melhor, pode avisá-lo. Mas como e onde?

— Ele foi levado para Abbeville — disse Dunning. — Vi que... Se eu telegrafasse para os hotéis em *Joanne's Guide*, "Examinem sua caixa de passagens, Dunning", eu me sentiria mais feliz. Este é o dia 21. Ele terá um dia. Mas temo que ele tenha desaparecido.

Então, os telegramas foram deixados no escritório do hotel.

Não está claro se alcançaram seu destino ou, caso o tenham feito, se foram compreendidos. Tudo o que se sabe é que, na tarde do dia 23, um viajante inglês, examinando a fachada da Igreja de São Wulfram em Abbeville, então sob extensas reparações, foi atingido na cabeça e instantaneamente morto por uma pedra que caiu do andaime erguido em volta da torre noroeste, não havendo, como foi claramente provado, nenhum operário no cadafalso naquele momento. Os documentos do viajante identificaram-no como Sr. Karswell.

Apenas um detalhe deve ser adicionado. No leilão de Karswell, um conjunto de Bewick, vendido com todos os defeitos, foi adquirido por Harrington. A página com a xilogravura do viajante e do demônio foi, como ele esperava, mutilada. Além disso, após um intervalo criterioso, Harrington repetiu a Dunning algo do que ouvira seu irmão dizer durante o sono, mas não demorou muito para que Dunning o interrompesse.

OS ASSENTOS DA CATEDRAL BARCHESTER

No que me diz respeito, esse assunto começou com a leitura de uma notícia na seção de obituários da *Gentleman's Magazine* de um ano do início do século XIX:

> Em 26 de fevereiro, estava em sua residência, na Catedral próxima de Barchester, o Honrado John Benwell Haynes, D. D., 57 anos, Arquidiácono de Sowerbridge e Supervisor de Pickhill e Candley. Ele era da Universidade de [...], em Cambridge, e ali, por talento e assiduidade, conquistou a estima de seus superiores quando, no momento usual, se graduava e seu nome ocupava lugar de importância na *lista de destaques*. Essas honras acadêmicas proporcionaram-lhe, em pouco tempo, uma bolsa de estudos de sua Universidade. No ano de 1783, ele recebeu as Ordens Sacras e pouco depois foi nomeado Bispo Coadjutor de Ranxton-sub-Ashe

por seu amigo e patrono, o falecido e verdadeiramente honrado Bispo de Lichfield...

Suas rápidas preferências, primeiro a Cônego e posteriormente à honra de Precentor ao celebrar o coro na Catedral de Barchester, formaram um testemunho importante a respeito de suas eminentes qualificações e de como era considerado. Ele sucedeu à administração da Diocese após o repentino falecimento do Arquidiácono Pulteney em 1810. Seus sermões, sempre em conformidade com os princípios da religião e da Igreja, seguiam expostos de maneira incomum e sem o menor vestígio de exagero, o refinamento do estudioso unido às graças do cristianismo. Livre da violência religiosa e informado pelo espírito sobre a mais verdadeira caridade, eles habitarão por muito tempo as memórias de seus ouvintes. [Aqui, mais uma omissão.]

As produções de sua pena incluem uma defesa hábil do Episcopado que, embora muitas vezes lida pelo autor desta homenagem à sua memória, oferece apenas um exemplo adicional da falta de liberalidade e iniciativa que é uma característica muito comum dos editores de nossa geração. Seus trabalhos publicados estão, de fato, confinados a uma versão elegante e espirituosa da *Argonáutica* de Valerius Flaccus, um volume de *Discursos sobre os vários eventos na vida de Josué*, proferidos em sua Catedral, e uma série de acusações que ele pronunciou em várias visitas ao clero de sua Arquidiocese. Estes são diferenciados por etc., etc.

A urbanidade e a hospitalidade do tema destas linhas não serão prontamente esquecidas por aqueles que aproveitaram seu conhecimento. Seu interesse na venerável e terrível construção sob cuja antiga abóbada ele foi tão pontual e presente, e particularmente na parte musical de suas celebrações, pode ser considerada crucial e formar um contraste forte e encantador com a indiferença educada demonstrada por muitos de nossos dignitários da Catedral na época.

O parágrafo final, após nos informar que Dr. Haynes morreu sozinho, diz:

> Poderia ter sido anunciado que uma existência tão plácida e benevolente teria terminado em uma idade avançada por uma dissolução igualmente gradual e calma. Porém quão incalculáveis são os trabalhos da Providência! A reclusão pacífica e afastada em meio à qual a noite de honra da vida de Dr. Haynes se aproximava de seu fim estava destinada a ser perturbada, ou melhor, destruída, por uma tragédia tão terrível quanto inesperada. Na manhã do dia 26 de fevereiro...

Mas talvez eu deva manter o restante da narrativa até que venha a contar as circunstâncias que levaram a isso. Essas, na medida em que agora estão acessíveis, são derivadas de outra fonte.

Eu havia lido o obituário que venho citando, por acaso, com muitos outros do mesmo período. Isso havia suscitado algumas pequenas especulações em minha mente, mas, além de pensar que se algum dia tivesse a oportunidade de examinar os registros locais do período indicado, tentaria lembrar-me de Dr. Haynes, não fiz nenhum esforço para prosseguir com seu caso.

Naquele momento eu catalogava os manuscritos na biblioteca da universidade a que ele havia pertencido. Eu havia chegado ao fim dos volumes numerados nas estantes e comecei a perguntar ao bibliotecário se havia mais livros que ele achava que eu deveria incluir em minha descrição.

— Acredito que não — disse ele —, mas é melhor ir e dar uma olhada na estante de manuscritos e confirmar. O senhor tem tempo para fazer isso agora?

Eu tinha tempo. Fomos à biblioteca, checamos os manuscritos e, ao final de nossa pesquisa, cheguei a uma prateleira da qual nunca tinha visto nada. Grande parte de seu conteúdo se resumia a sermões, maços de papéis fragmentários, exercícios de faculdade, *Cyrus*, um poema épico em diversos cantos, resultado do lazer de um clérigo do interior, tratados matemáticos de um falecido professor e outro material semelhante a um tipo com o qual estou muito familiarizado. Fiz breves anotações sobre isso. Por último, havia uma caixa de lata, que foi pega e limpa. Seu rótulo, muito desbotado, estava assim inscrito:

Artigos do Honrado Arquidiácono Haynes. Deixado em 1834 por sua irmã, Srta. Letitia Haynes.

Eu soube imediatamente que o nome era aquele que eu havia encontrado em algum lugar e poderia muito em breve localizá-lo.

— Deve ser o Arquidiácono Haynes, que teve um fim muito estranho em Barchester. Eu li seu obituário na *Gentleman's Magazine*. Posso levar a caixa para casa? Sabe se há algo interessante nela?

O bibliotecário estava muito disposto a que eu pegasse a caixa e a examinasse à vontade, pois disse:

— Eu mesmo nunca olhei dentro dela, mas sempre quis. Tenho certeza de que é a caixa que nosso velho Mestre uma vez disse que nunca deveria ter sido aceita pela universidade. Ele disse isso a Martin anos atrás e disse também que, enquanto ele tivesse controle sobre a biblioteca, ela nunca deveria ser aberta. Martin contou-me sobre isso e disse que queria muito saber o que havia nela, mas o Mestre era o bibliotecário e sempre mantinha a caixa na estante, então não havia como consegui-la a tempo. Quando ele morreu, foi levada por engano por seus herdeiros e só voltou há alguns anos. Não consigo imaginar por que não abri, mas, como tenho de sair de Cambridge esta tarde, é melhor que o senhor o faça primeiro. Acho que posso confiar que o senhor não publicará nada indesejável em nosso catálogo.

Levei a caixa para casa e examinei seu conteúdo, e depois consultei o bibliotecário sobre o que deveria ser feito quanto à publicação, e, uma vez obtida sua permissão para fazer dela uma história, desde que eu não revele a identidade das pessoas envolvidas, tento fazer o que é possível.

Os materiais são, claro, principalmente anotações e cartas. Quanto devo citar e quanto resumir deve ser determinado por considerações de espaço. A compreensão adequada da situação exigiu um pouco de pesquisa, não muito árdua, que foi grandemente facilitada pelas excelentes ilustrações e texto do volume de Barchester na *Coleção da Catedral Bell*.

Ao entrar na área do coro da Catedral de Barchester agora, passa-se por uma tela de metal e mármores coloridos, projetada por Sir Gilbert Scott, e encontra-se no que devo chamar de um lugar muito vazio e odiosamente mobiliado. Os assentos são modernos, sem coberturas. Os lugares dos dignitários e os nomes dos precentores felizmente tiveram permissão para sobreviver e estão inscritos em pequenas placas de latão afixadas nas cadeiras. O órgão está no trifório, e o que se vê do espaço é gótico. Os retábulos e suas proximidades são como todos os outros.

Inscrições cuidadosas de cem anos atrás mostram um estado de coisas muito diferente. O órgão está em uma enorme disposição clássica. As cadeiras do coro também são clássicas e muito maciças. Há um baldaquino de madeira sobre o altar, com urnas em suas laterais. Mais a leste, encontra-se uma elevação maciça do altar, em desenho clássico, de madeira, com frontão, no qual se encontra um triângulo rodeado de raios, encerrando em ouro certas caligrafias hebraicas, e querubins as contemplam. Há um púlpito com um grande espaço para o coro na extremidade leste das cadeiras do lado norte e há um pavimento de mármore preto e branco. Duas damas e um cavalheiro admiram o efeito geral.

De outras fontes, deduzo que a cadeira do arquidiácono então, como agora, ficava ao lado do trono do bispo na extremidade sudeste das cadeiras do coro. Sua casa fica quase voltada para a frente oeste da igreja, e é um belo edifício de tijolos vermelhos da época de William III.

Aqui, Dr. Haynes, já homem maduro, fixou residência com a irmã no ano de 1810. A dignidade havia sido o objeto de seus desejos, mas seu antecessor recusou-se a partir até que atingisse 92 anos de idade. Cerca de uma semana depois de haver realizado uma modesta festa em comemoração ao nonagésimo segundo aniversário, chegou uma manhã, no final do ano, quando Dr. Haynes, correndo alegremente para sua sala de café da manhã, esfregando as mãos e cantarolando um hino, foi saudado e reprimido, em seu fluxo cordial de ânimo, ao ver sua irmã, sentada, de fato, em seu lugar habitual atrás da caixa de chás curvando-se para a frente e soluçando sem restrições em seu lenço.

— O que... Qual é o problema? Quais são as más notícias? — começou ele.

— Oh, Johnny, você não ouviu? Pobre arquidiácono!

— O arquidiácono? O que há? Ele está doente, não é?

— Não, não. Eles o encontraram na escada esta manhã. É tão chocante.

— Será possível?! Caro, querido, pobre Pulteney! Houve alguma convulsão?

— Eles acham que não, e essa é quase a pior coisa com relação a isso. Parece que foi tudo culpa daquela estúpida empregada deles, Jane.

Dr. Haynes fez uma pausa e disse:

— Eu não entendo muito bem, Letitia. Como a empregada é culpada?

— Pelo que entendi, é porque faltava uma barra na escada; ela nunca mencionou isso, e o pobre arquidiácono colocou o pé bem na beira do degrau; você sabe como aquele carvalho é escorregadio; e parece que ele caiu com muita força e quebrou o pescoço. É muito triste para a pobre Srta. Pulteney. Claro, eles vão se livrar da moça imediatamente. Eu nunca gostei dela.

A dor de Srta. Haynes retomou seu domínio, mas acabou relaxando a ponto de permitir que ela tomasse o café da manhã. O mesmo não aconteceu com o irmão, que, depois de ficar alguns minutos parado diante da janela, saiu do quarto e não voltou a aparecer novamente naquela manhã.

Só preciso acrescentar que a criada descuidada foi imediatamente demitida, mas que a barra de escada que faltava foi encontrada logo depois *sob* o tapete da escada, uma prova adicional, caso alguma fosse necessária, de extrema estupidez e descuido de sua parte.

Por muitos anos, Dr. Haynes foi marcado por sua habilidade, que parece ter sido realmente considerável, como o provável sucessor do Arquidiácono Pulteney, e nenhuma decepção o aguardava. Ele foi devidamente nomeado e entrou com zelo no desempenho das funções que são apropriadas para alguém em sua posição. Um espaço considerável em seus diários está ocupado com exclamações sobre a confusão em que o Arquidiácono Pulteney havia deixado os negócios de seu escritório e os documentos pertencentes a ele. Atribuições sobre Wringham e Barnswood não foram coletadas por cerca de doze anos e são totalmente irrecuperáveis; nenhuma visitação foi realizada por sete anos, e quatro áreas estão quase no fim do reparo.

As pessoas representadas pelo arquidiácono foram quase tão incapazes quanto ele. Era quase uma questão de gratidão que a esse estado de coisas não fosse permitido continuar, e uma carta de um amigo confirma essa visão e diz, em alusão bastante cruel à Segunda Epístola aos Tessalonicenses:

> ὁ κατέχων[1]
> É finalmente levado. Meu pobre amigo! Em que cenário de confusão estará entrando?! Dou-lhe minha palavra de que, na última ocasião em que cruzei seu limite, não havia um único papel em que pudesse colocar as mãos, nenhuma sílaba minha que pudesse ouvir e nenhum fato relacionado a meu negócio de que pudesse lembrar-se. Mas agora, graças a uma negligente criada e a um tapete solto na escada, há alguma possibilidade de que os negócios necessários sejam realizados sem uma perda completa de voz e temperamento.

Essa carta estava enfiada no bolso da capa de um dos diários. Não pode haver dúvida quanto ao zelo e entusiasmo do novo arquidiácono.

> Dê-me apenas tempo para reduzir a alguma aparência de ordem os inúmeros erros e complicações com os quais sou confrontado, e irei com alegria e sinceridade juntar-me ao idoso israelita no cântico que muitos, temo, pronunciam apenas com seus lábios.

---
1. O único.

Essa reflexão encontro não em um diário, mas em uma carta. Os amigos do senhor parecem ter devolvido sua correspondência à irmã sobrevivente. Ele não se limita, entretanto, a reflexões. Sua investigação dos direitos e deveres de seu cargo é muito diligente e profissional, e há um cálculo em um lugar de que um período de três anos será suficiente para estabelecer os negócios do arquideaconato em uma organização adequada. A estimativa parece ter sido exata. Por apenas três anos ele está ocupado com reformas, mas procuro em vão no final desse tempo o prometido *Nunc dimittis*[2]. Ele agora encontrou uma nova esfera de atividade.

Até ali, seus deveres o impediram de mais do que uma participação ocasional nos serviços da Catedral. Agora ele começa a se interessar pela estrutura e pela música. Sobre suas brigas com o organista, um velho cavalheiro que estava no cargo desde 1786, não tenho tempo para me deter, eles não tiveram nenhum sucesso notável. Mais pertinente é seu súbito entusiasmo pela Catedral e sua mobília. Há um rascunho de uma carta a Sylvanus Urban, que acho que nunca foi enviada, descrevendo as cadeiras do coro. Como eu disse, estas eram de uma data bastante tardia, por volta do ano 1700, na verdade.

> A cadeira do arquidiácono, situada na extremidade sudeste, a oeste do trono episcopal, agora tão dignamente ocupada pelo bispo verdadeiramente excelente que adorna a Sé de Barchester, é distinguida por algum ornamento curioso. Além dos braços de Dean West, por cujos esforços todo o

---
2. Cântico de Simeão

mobiliário interno do coro foi completado, o altar de orações foi terminado na extremidade oriental com três pequenas, mas notáveis, estatuetas em maneira grotesca.

Uma delas é a figura primorosamente modelada de um gato, que com a postura agachada sugere com espírito admirável a flexibilidade, vigilância e habilidade do adversário duvidoso do gênero *Mus*[3]. Oposta a essa, está uma figura sentada em um trono e repleta de atributos de realeza, mas não é nenhum monarca conhecido o que o entalhador procurou retratar. Seus pés estão cuidadosamente ocultos pelo longo manto em que está envolto, mas nem a coroa nem o capuz que usa são suficientes para esconder as orelhas pontudas e os chifres curvos que denunciam sua origem do Tártaro. A mão que repousa sobre seu joelho está armada com garras de comprimento e afiação horríveis. Entre essas duas figuras está uma forma camuflada por um longo manto. À primeira vista, isso pode ser confundido com um monge ou um frade das ordens franciscanas, pois a cabeça está coberta, e uma corda com nós é amarrada em algum lugar perto da cintura. Uma leve inspeção, entretanto, levará a uma conclusão muito diferente. O cordão com nós é rapidamente visto como um cabresto, segurado por uma mão quase escondida dentro das cortinas,

---

3. Rato.

enquanto as feições encovadas e, é horrível relatar, a carne dilacerada nas maçãs do rosto proclamam o Rei dos Terrores. Essas figuras são evidentemente a produção de um cinzel não qualificado, e, se por acaso algum de seus correspondentes for capaz de lançar luz sobre sua origem e importância, minhas obrigações para com sua valiosa mistura serão amplamente aumentadas.

Há mais descrição no papel e, visto que a madeira em questão agora desapareceu, há um interesse considerável. É válido citar um parágrafo final:

> Algumas pesquisas recentes entre os relatos do Capítulo Colegial me mostraram que a estrutura das cadeiras não era, como relatada muito comumente, o trabalho de artistas holandeses, mas fora executada por um nativo dessa cidade ou distrito chamado Austin. A madeira foi obtida de um bosque de carvalhos nas proximidades, propriedade do responsável pelo Colégio, conhecido como Holywood. Após uma recente visita à vizinhança dentro dos limites em que está situada, aprendi com o verdadeiramente respeitável senhor responsável que as tradições persistiam entre os habitantes com relação ao grande tamanho e à idade dos carvalhos empregados para fornecer os materiais da estrutura imponente que foi, embora imperfeitamente, descrita nas linhas acima.

Um em particular, que ficava próximo ao centro do bosque, é lembrado como Carvalho Suspenso. A propriedade desse título é confirmada por uma quantidade de ossos humanos que fora encontrada no solo ao redor de suas raízes e que em certas épocas do ano era costume para aqueles que desejavam garantir uma questão de sucesso para seus negócios, seja por amor ou pelos negócios normais da vida, suspender em seus ramos pequenas imagens ou fantoches rudemente moldados com palha, gravetos ou materiais rústicos semelhantes.

Isso era demais para as investigações arqueológicas do arquidiácono. Retornemos à sua carreira como ela pode ser obtida por seus diários. Os primeiros três anos de trabalho árduo e cuidadoso mostram-no sempre muito animado e, sem dúvida, nessa época, aquela fama de hospitalidade e urbanidade mencionada em seu obituário era muito merecida.

Depois disso, com o passar do tempo, vejo uma sombra pairando sobre ele, destinada a se transformar em escuridão total, que não posso deixar de pensar que deve ter se refletido em seu comportamento externo. Ele registra boa parte de seus medos e problemas em seu diário; não havia outra saída para eles. Ele não era casado, e sua irmã nem sempre estava com ele. Porém estou muito enganado se penso que contou tudo o que poderia ter contado.

Uma série de trechos deve ser fornecida:

30 DE AGOSTO DE 1816.
Os dias começam a chegar de forma mais perceptível do que nunca. Agora que os papéis da Arquidiocese estão reduzidos à ordem, devo encontrar algum emprego adicional para as horas noturnas de outono e inverno. É um grande golpe que a saúde de Letitia não a deixe ficar por estes meses. Por que não continuar com minha *Defesa do Episcopado*? Poderia ser útil.

15 DE SETEMBRO.
Letitia deixou-me para ir até Brighton.

11 DE OUTUBRO.
Velas acesas no coro pela primeira vez nas orações noturnas. Foi um choque. Acho que me encolhi totalmente no momento escuro.

17 DE NOVEMBRO.
Muito impressionado com o caráter da escultura em madeira na minha área, não sei se já havia notado isso cuidadosamente antes. Minha atenção foi chamada por um acidente. Durante o *Magnificat*[4], lamento dizê-lo, quase fui dominado pelo sono. Minha mão estava apoiada nas costas da figura entalhada de um gato, que é a mais próxima de mim das três figuras no fim da minha cadeira. Eu não

---
4. Cântico *Magnificat anima mea Dominum*.

estava ciente disso, pois não estava olhando naquela direção, até que fui surpreendido pelo que parecia uma movimentação suave, uma sensação de pelo bastante áspero e duro, e um movimento repentino, como se a criatura estivesse girando em torno de sua cabeça para me morder. Recuperei a consciência completa em um instante e tenho a impressão de que devo ter proferido uma exclamação reprimida, pois notei que o Sr. Tesoureiro virou a cabeça rapidamente em minha direção. A impressão da sensação desagradável foi tão forte, que me peguei esfregando a mão na batina. Esse acidente me levou a examinar as figuras depois das orações com mais cuidado do que antes, e percebi pela primeira vez com que habilidade elas foram executadas.

6 DE DEZEMBRO.
Realmente sinto falta da companhia de Letitia. As noites, depois de trabalhar o máximo que posso em minha *Defesa*, são muito cansativas. A casa é grande demais para um homem solitário, e visitantes de qualquer tipo são raros. Tenho uma impressão desconfortável, quando vou para meu quarto, de que *há* algum tipo de companhia. O fato é que (posso muito bem formulá-lo para mim mesmo) ouço vozes. Isso, estou bem ciente, é um sintoma comum de decadência incipiente do cérebro,

e acredito que ficaria menos inquieto do que se tivesse qualquer suspeita de que seria essa causa. Não tenho nenhuma, absolutamente nenhuma, nem há nada na história da minha família que dê uma pista para tal ideia. Trabalho, trabalho diligente e atenção pontual aos deveres que me cabem é meu melhor remédio, e tenho poucas dúvidas se será eficaz.

PRIMEIRO DE JANEIRO.
Meu problema, devo confessar, está crescendo sobre mim. Ontem à noite, após meu retorno depois da meia-noite do Deanery, acendi minha vela para subir ao andar de cima. Eu estava quase no topo, quando algo sussurrou para mim:
— *Deixe-me desejar-lhe um feliz ano novo.*
Não poderia estar enganado; falava distintamente e com uma ênfase peculiar. Se eu tivesse deixado cair minha vela, como quase fiz, tremo ao pensar quais poderiam ter sido as consequências. Mesmo assim, consegui subir o último lance e rapidamente entrei em meu quarto, e, com a porta trancada, não constatei nenhuma outra perturbação.

15 DE JANEIRO.
Tive a oportunidade de descer as escadas ontem à noite para minha sala de trabalho para pegar meu relógio, que inadvertidamente deixei em minha

mesa quando fui para a cama. Acho que estava no topo do último lance, quando tive a impressão repentina de um sussurro agudo em meu ouvido:

— *Cuidado.*

Agarrei o corrimão e naturalmente olhei em volta de imediato. Claro, não havia nada. Depois de um momento, continuei, não adiantava voltar, mas eu havia caído o mais próximo possível de um gato que parecia ter pelo grande. Ele escorregou entre meus pés, mas de novo, é claro, não vi nada. *Pode* ter sido um gato na cozinha, mas creio que não.

27 DE FEVEREIRO.

Houve uma coisa curiosa ontem à noite que gostaria de esquecer. Talvez, ao colocá-la aqui, eu possa vê-la em sua verdadeira proporção. Trabalhei na biblioteca das nove às dez. O corredor e a escada pareciam estar excepcionalmente cheios do que só posso chamar de movimento sem som. Com isso quero dizer que parecia haver um vaivém contínuo e que, sempre que eu parava de escrever para ouvir ou olhava para o corredor, o silêncio estava absolutamente ininterrupto. Nem ao ir para o meu quarto mais cedo do que de costume, por volta das dez e meia, tive consciência de coisa alguma que pudesse chamar de ruído. Acontece que eu disse a John que viesse ao meu quarto para receber a carta ao bispo que eu gostaria de ter entregado de manhã cedo no Salão. Portanto, ele deveria esperar e vir buscá-la assim que percebesse que eu me havia retirado. Isso eu havia esquecido por um momento, embora me tivesse lembrado de levar a carta comigo para o meu quarto. Porém, enquanto eu arrumava meu relógio, ouvi uma batida leve à porta e uma voz baixa dizendo:

— *Posso entrar?*

Sem dúvida ouvi, lembrei-me do fato e peguei a carta da minha penteadeira, dizendo:

— *Certamente. Entre.*

Porém ninguém respondeu à minha convocação, e foi então que, como suspeito fortemente, cometi um erro, pois abri a porta e estendi a carta. Certamente não havia ninguém naquele momento no corredor, mas, no instante em que fiquei ali parado, a porta no final se abriu e John apareceu carregando uma vela. Perguntei se ele havia batido à porta antes, mas estava certo de que não. Não gostei da situação e, embora meus sentidos estivessem em estado de alerta e eu tenha demorado algum tempo antes de dormir, devo admitir que não percebi mais nada com um caráter desagradável.

Com a volta da primavera, quando sua irmã veio morar com ele por alguns meses, as entradas do Dr. Haynes tornaram-se mais animadoras e, de fato, nenhum sintoma de depressão foi perceptível até o início de setembro, quando ele foi novamente deixado sozinho. E agora, de fato, há evidências de que ele estava incomodado novamente, e de modo mais urgente. Voltarei a esse assunto em breve, porém estou divagando para inseri-lo em um documento que, com ou sem razão, acredito ter relação com o desenrolar da história.

Os livros de contabilidade de Dr. Haynes, preservados com seus outros documentos, mostram, a partir de uma data um pouco mais tardia que sua instituição como arquidiácono, um pagamento trimestral de 25 libras a J. L. Nada poderia ter sido feito disso, se tivesse ficado esquecido. Porém me deparo com isso e uma carta muito suja e mal escrita, que, como outra que citei, estava em um bolso na capa de um diário. De data ou carimbo não há vestígio, e a decifração não foi fácil. Encontrava-se deste modo:

> Caro Sr.,
> Eu esperava que ela ficasse com o senhor nas últimas semanas e não tendo feito isso deve supor que não tenha o que estava dizendo, como eu e meu homem nos deparamos com tempos ruins nesta temporada, tudo parece ir contra a gente na fazenda e de que maneira pagar o aluguel não temos conhecimento e esse seria o caso triste para nós se o senhor tivesse a ótima [liberalidade] [*provavelmente, mas a grafia exata desafia a reprodução*] para enviar quarenta libras, caso contrário, terão de ser dados passos que eu não desejaria. Se eu fosse obrigada a isso, mas não desejo nada daquela Natureza desagradável sendo aquela que sempre

deseja ter tudo Agradável sobre mim.
Sua obediente Serva,
Jane Lee.

Sobre o momento em que eu suponho que esta carta tenha sido escrita há, de fato, um pagamento de 40 libras para J. L.

Voltemos ao diário:

22 DE OUTUBRO.
Nas orações noturnas, durante os Salmos, tive a mesma experiência de que me lembro do ano passado. Eu estava descansando minha mão em uma das figuras esculpidas, como antes (costumo evitar a do gato agora), e (eu ia dizer) uma mudança apareceu nela, mas estou atribuindo muita importância ao que parece, enfim, ter sido algum efeito físico em mim mesmo. De qualquer forma, a madeira parecia ficar fria e macia como se fosse feita de linho molhado. Posso atribuir o momento em que fiquei sensível com isso. O coro estava cantando as palavras:
Designe-se um ímpio como seu oponente; à sua direita esteja Satanás.[5]
O sussurro na minha casa foi mais persistente esta noite. Eu parecia não estar livre dele em meu quarto. Eu não havia notado isso antes. Um homem nervoso, que eu não sou, e espero não estar me tornan-

---
5. Salmo 109.6 modificado.

do, teria ficado muito irritado, se não alarmado, por isso. O gato estava na escada esta noite. Acho que sempre fica lá. O gato não *está* na cozinha.

15 DE NOVEMBRO.
Aqui novamente devo tomar nota de um assunto que não entendo. Estou muito preocupado ao dormir. Nenhuma imagem definitiva se apresentou, mas fui perseguido pela impressão muito vívida de que os lábios molhados estavam sussurrando no meu ouvido com grande rapidez e ênfase por algum tempo. Depois disso, suponho, adormeci, mas fui despertado com um começo da sensação de que uma mão fosse colocada sob meu ombro. Para minha grande preocupação, encontrei-me no topo do lance mais baixo da primeira escada. A lua estava brilhando o suficiente através da grande janela para me deixar ver que havia um gato grande no segundo ou terceiro degrau. Não posso fazer nenhum comentário. Rastejei até a cama novamente, não sei como. Sim, carrego um fardo pesado.

[Em seguida, há uma linha ou duas que foram riscadas. Imagino ter lido algo como *agi da melhor maneira*.]

Não muito tempo depois disso, é evidente que a firmeza do arquidiácono começou a ceder sob a pressão desses fenômenos.

Eu omiti, quase desnecessariamente, dolorosas e angustiantes temeridades e orações que, nos meses de dezembro e janeiro, aparecem pela primeira vez e tornam-se cada vez mais frequentes. Ao longo desse tempo, no entanto, ele persiste ao se apegar a seu posto. O que o fez não alegar problemas de saúde e refugiar-se em Bath ou Brighton não posso dizer, mas minha impressão é que não lhe teria feito bem algum. Ele era um homem que, caso se confessasse abatido pelos incômodos, teria sucumbido imediatamente, e disso tinha consciência. Ele procurou acalmá-los convidando visitantes para sua casa. O resultado que ele observou deu-se da seguinte forma:

> 7 DE JANEIRO.
> Convenci meu primo Allen a dar-me alguns dias, e ele deve ocupar o quarto ao lado do meu.

> 8 DE JANEIRO.
> Uma noite tranquila. Allen dormiu bem, mas reclamou do vento. Minhas próprias experiências foram como antes, ainda sussurrando e sussurrando. O que é que ele deseja dizer?

> 9 DE JANEIRO.
> Allen acha que esta é uma casa muito barulhenta. Ele também acha que o gato é um espécime extraordinariamente grande e fino, mas muito selvagem.

10 DE JANEIRO.
Allen e eu ficamos na biblioteca até as onze. Ele me deixou duas vezes para ver o que as criadas estavam fazendo no corredor. Voltando pela segunda vez, disse-me que tinha visto uma delas passando pela porta no final do corredor e disse que, se sua esposa estivesse aqui, ela logo as colocaria em melhor ordem. Perguntei-lhe que cor de vestido usava a criada, e ele respondeu cinza ou branco. Pensei que sabia quem seria.

11 DE JANEIRO.
Allen deixou-me hoje. Devo ser firme.

Essas palavras, *devo ser firme*, ocorreram repetidamente nos dias subsequentes; algumas vezes elas são a única entrada. Nestes casos, elas estão em uma caligrafia extraordinariamente grande e intensa no papel de uma maneira que deve ter quebrado a pena que as escreveu.

Aparentemente, os amigos do arquidiácono não comentaram nenhuma mudança em seu comportamento, e isso me dá uma grande ideia de sua coragem e dissuasão. O diário não nos diz nada mais do que eu indiquei dos últimos dias de sua vida. O fim de tudo isso deve ser dito na linguagem polida do aviso do obituário:

A manhã de 26 de fevereiro foi fria e tempestuosa. Em uma hora cedo, os criados tiveram a oportunidade de entrar no salão da frente da residência ocupada pelo lamentável assunto destas linhas. Que horror o deles ao observar a forma de seu amado e respeitado mestre deitado no patamar da escada principal em uma atitude que inspirava os mais graves temores. A assistência foi obtida, e uma consternação universal foi experimentada após a descoberta de que ele tinha sido objeto de um ataque brutal e assassino. A coluna vertebral foi fraturada em mais de um lugar. Isso pode ter sido o resultado de uma queda. Parecia que o tapete da escada estava solto em um ponto. Porém, além disso, havia ferimentos nos olhos, no nariz e na boca, como se pela ação de algum animal selvagem, que, terrível de relatar, tornava essas feições irreconhecíveis. A aparência de vida foi, é desnecessário acrescentar, completamente descartada, e assim foi após o testemunho de autoridades médicas responsáveis durante várias horas. O autor ou autores desse misterioso ultraje estão enterrados em mistério, e a pista mais ativa até então não sugeriu uma solução do problema melancólico proporcionado por essa terrível ocorrência.

O escritor continua a refletir sobre a probabilidade de que os escritos de Mary Shelley, Lord Byron e M. Voltaire podem ter sido instrumentais em trazer o desastre, e conclui esperando, um pouco vagamente, que este evento possa *operar como um exemplo para a geração que floresce*, mas essa parte de suas observações não precisa ser citada na íntegra.

Eu já tinha formulado a conclusão de que Dr. Haynes fora responsável pela morte de Dr. Pulteney, mas o incidente ligado à figura esculpida da morte na cadeira do arquidiácono foi uma característica muito desconcertante. A suposição de que tinha sido cortada da madeira do Carvalho Suspenso não era difícil, mas parecia impossível de comprovar. No entanto, realizei uma visita a Barchester, em parte com a intenção de descobrir se havia alguma relíquia da marcenaria para ser analisada. Fui apresentado por um dos cânones ao curador do museu local, que era, meu amigo disse, mais provável de ser capaz de me dar informações sobre a questão do que qualquer outra pessoa.

Contei a esse cavalheiro a descrição de certas figuras esculpidas e cadeiras dispostas na área do coro e perguntei se alguma tinha sobrevivido. Ele foi capaz de me mostrar as cadeiras de Dean West e alguns outros fragmentos. Essas, ele disse, tinham sido recebidas de um velho residente, que também tinha uma figura... Talvez uma daquelas que eu procurava, mas havia uma coisa muito estranha sobre essa figura, como ele disse:

— Aquele senhor que as possuía me disse que as pegou em uma plantação de madeira, de onde ele tinha obtido as peças já cortadas, e as tinha levado para casa para seus filhos. No caminho para casa, ele brincava com ela, e assim caiu de suas mãos, partindo-se em duas, e um pouco de papel caiu de dentro. Ele o pegou e, percebendo que ali havia um escrito, preferiu deixá-lo em seu bolso e posteriormente em um vaso próximo à sua lareira. Eu estava na casa dele fazia pouco tempo e me ocorreu de pegar o vaso e entregá-lo para ver se havia alguma marca nele, e o papel caiu em minhas mãos. O senhor, ao entregá-lo, contou-me a história que lhe contei e disse-me que poderia ficar com o papel. Estava amassado e bastante rasgado, então eu o juntei em um papelão que tenho aqui. Se puder dizer-me o que significa, ficarei muito feliz, e também, posso dizer, bastante surpreso.

Ele me deu o papelão. O papel foi escrito de modo bastante legível por uma mão antiga, e isto é o que havia nele:

Quando cresci na Floresta
Eu fui regado com Sangue
Agora na Igreja eu estou
Quem me toca com sua Mão
Se uma mão Sangrenta carrega
Eu o aconselho a ter cuidado
Para que ele não seja levado
Seja noite, seja dia,
Mas principalmente quando o vento sopra alto
Em uma noite de fevereiro.

Isso eu sonhei, 26 de fevereiro de 1699. JOHN AUSTIN.

— Suponho que seja um encanto ou um feitiço. O senhor diria que é algo desse tipo? — perguntou o curador.

— Sim — respondi. — Acho que pode ser. O que aconteceu com a imagem em que estava escondido?

— Oh, eu não sei bem — ele respondeu. — Aquele senhor me disse que era tão feia e assustou tanto seus filhos, que ele a queimou.

O fim de Martin

Há alguns anos, estive com o responsável por uma paróquia do Oeste, onde a sociedade da qual faço parte possui propriedades. Eu deveria percorrer algumas dessas terras e, no primeiro dia de minha visita, logo após o café da manhã, o carpinteiro e faz-tudo da propriedade, John Hill, foi anunciado de prontidão para nos acompanhar. O pároco perguntou qual parte da paróquia íamos visitar naquela manhã. O mapa da propriedade foi apresentado e, quando lhe mostramos nossa rota, ele colocou o dedo em um local específico e disse:

— Não se esqueça de perguntar a John Hill sobre o Fim de Martin quando chegar lá. Eu gostaria de ouvir o que ele lhe dirá.

— O que ele nos deveria dizer? — perguntei.

— Eu não tenho a menor ideia, ou, se isso não for exatamente verdade, ele dirá até a hora do almoço — respondeu o pároco. E aqui alguém o chamou.

Nós partimos. John Hill não é homem de ocultar as informações que possui sobre qualquer ponto, e é possível obter dele muito do que é interessante sobre as pessoas locais e suas conversas. Uma palavra desconhecida, ou uma que ele acredita ser desconhecida, ele geralmente soletrará: "c-o-b — cob"; algo assim. Não é, no entanto, relevante para o meu propósito mostrar sua conversa antes do momento em que chegamos ao Fim de Martin. O trecho de terra é perceptível, pois é um dos menores recintos que provavelmente poderão ser vistos; alguns metros quadrados, cercados com concreto em todos os lados e sem nenhum portão ou abertura que leve até ele. É possível confundi-lo com um pequeno jardim de chalé há muito deserto, mas fica longe da vila e não tem nenhum traço de cultivo. Ele não está a uma grande distância da estrada e faz parte do que é chamado de charneca, ou seja, uma pastagem de terra firme e úmida dividida em campos maiores.

— Por que isso está dividido assim? — perguntei, e John Hill, cuja resposta eu não posso representar tão perfeitamente quanto gostaria, não teve culpa ao responder:

— Isso é o que chamamos de O Fim de Martin, senhor. É uma coisa curiosa que um pedaço de terra, senhor, venha chamado pelo nome de O Fim de Martin, senhor. M-a-r-t-i-n; Martin. Peço perdão, senhor, mas o pároco lhe pediu que o senhor me perguntasse sobre isso?

— Sim, pediu.

— Ah, eu pensei tanto, senhor. Eu estava contando isso ao pároco na semana passada, e ele estava muito interessado. Parece que há um assassino enterrado lá, senhor, com o nome de Martin. O velho Samuel Saunders, que morou anteriormente aqui no que chamamos de South-town, senhor, tinha uma longa história sobre isso. Era de um assassinato terrível cometido contra uma jovem mulher, senhor. Cortou sua garganta e jogou-a na água aqui embaixo.

— Ele foi enforcado por isso?

— Sim, senhor, ele foi enforcado aqui em cima na estrada, pelo que ouvi, no Dia dos Santos Inocentes, muitos séculos atrás, pelo homem que atendia pelo nome de juiz sangrento: terrível, vermelho e sangrento, segundo ouvi.

— Seu nome era Jeffreys, sim?

— Pode ser, é possível que fosse... *Jeffreys, J-e-f... Jeffreys*. Acho que sim, e a história que ouvi muitas vezes de Sr. Saunders, de como esse jovem Martin, George Martin, ficou perturbado antes de sua ação cruel vir à tona pelo espírito da jovem.

— Como foi isso, o senhor sabe?

— Não, senhor, não sei exatamente como foi, mas, pelo que ouvi, ele ficou bastante atormentado e com razão. O velho Sr. Saunders contou uma história sobre um armário aqui embaixo na Estalagem Nova. Segundo ele contou, o espírito dessa jovem saiu desse armário, mas não me recordo bem do assunto.

Essa era a soma das informações de John Hill. Nós seguimos adiante e, no devido tempo, relatei o que tinha ouvido ao pároco. Ele foi capaz de me mostrar nos livros de contabilidade da paróquia que uma forca fora paga em 1684, e uma sepultura cavada no ano seguinte, ambas para o benefício de George Martin. Ele, porém, não foi capaz de sugerir alguém na paróquia, já que Saunders já havia partido, que pudesse lançar alguma luz adicional sobre a história.

Naturalmente, ao voltar para os arredores das bibliotecas, fiz buscas nos lugares mais óbvios. O julgamento parecia não ter sido relatado em lugar algum. Um jornal da época, e um ou mais boletins informativos, no entanto, tinham alguns avisos curtos nos quais descobri que, com base no preconceito local contra o prisioneiro (ele foi descrito como um jovem cavalheiro de boa propriedade), a audiência tinha sido transferida de Exeter para Londres; que Jeffreys tinha sido o juiz, de morte e sentença, e que havia algumas "passagens singulares" nas evidências.

Nada mais aconteceu até setembro deste ano. Um amigo que sabia que eu estava interessado em Jeffreys enviou-me uma folha arrancada de um catálogo de uma livraria de segunda mão com a inscrição:

> *Jeffreys*, Juiz:
> *Manuscrito interessante de antigo julgamento por assassinato*

E assim por diante, o que deduzi, para minha alegria, que poderia ser adquirido, por pouquíssimas moedas, o que parecia ser um relato literal, em taquigrafia, do julgamento de Martin. Telegrafei pedindo o manuscrito e o peguei. Era um volume de encadernação fina, fornecido com um título escrito à mão por alguém no século XVIII, que também havia adicionado esta nota:

> *Meu pai, que tomou essas notas no tribunal, disse-me que os amigos do prisioneiro ouviram do Juiz Jeffreys que nenhum relatório fosse feito. Ele pretendia fazer isso sozinho quando os tempos fossem melhores, e o havia contado ao Rev. Sr. Glanvill, que encorajou seu*

projeto com muito entusiasmo, mas a morte surpreendeu a ambos antes que pudesse ser realizado.

As iniciais W. G. estão anexas. Fui informado de que o escrivão original pode ter sido T. Gurney, que aparece nessa função em mais de um julgamento estadual.

Isso foi tudo que pude ler por mim mesmo. Não demorou muito, e ouvi falar de alguém capaz de decifrar a escritura do século XVII e, há pouco tempo, a cópia datilografada de todo o manuscrito foi colocada diante de mim. As partes que comunicarei aqui ajudam a preencher o esboço muito imperfeito que subsiste nas memórias de John Hill e, suponho, de um ou dois outros que vivem no cenário dos eventos.

O relatório começa com uma espécie de prefácio, cujo efeito geral é que a cópia não é aquela efetivamente levada ao tribunal, embora seja uma cópia fiel no que diz respeito às notas do que foi dito. Diz, porém, que o escritor acrescentou a ele algumas "passagens notáveis" que aconteceram durante o julgamento e fez esta presente cópia do todo, pretendendo em algum momento favorável publicá-la, mas não o fez para que não caísse na posse de pessoas não autorizadas e ele ou sua família fossem privados do benefício.

Em seguida, começa o relatório:

> Este caso passou a ser julgado na quarta-feira, dia 19 de novembro, entre nosso Senhor Soberano, o Rei, e Senhor George Martin, de [peço licença para omitir alguns dos nomes de lugares], em uma parte

do inquérito, terminada na prisão, em Old Bailey, e o prisioneiro, estando em Newgate, foi levado a público.

SECRETÁRIO DA COROA:
— George Martin, levante sua mão.

E ele o fez. Em seguida, foi lida a acusação, que estabelecia:

SECRETÁRIO DA COROA:
— O prisioneiro, não tendo o temor de Deus em seus olhos, mas sendo movido e seduzido pela instigação do diabo, no dia 15 de maio, no 36º ano de nosso Senhor Soberano Rei Charles II, com força e armas na região acima mencionada, e sobre Ann Clark, dama solteira, do mesmo lugar, na paz de Deus e de nosso dito Senhor Soberano, o Rei, então e lá estando, de forma criminosa, intencional e com sua malícia premeditada, cometeu um crime, e com certa faca de pouco valor cortou a garganta da mencionada Ann Clark. Então ali cortou e feriu a referida Ann Clark, que ali morreu. O corpo da referida Ann Clark lançou em certo lago situado na mesma região, com mais bens que não são relevantes para o nosso propósito, contra a paz de nosso senhor soberano, o Rei, de sua coroa e da dignidade.
Em seguida, o prisioneiro solicitou uma cópia da acusação.

PRESIDENTE DO TRIBUNAL DE JUSTIÇA (Sir George Jeffreys):
— O que é isso? Claro que o senhor sabe que isso nunca é permitido. Além disso, aqui está uma acusação clara como sempre ouvi. O senhor não tem nada para fazer a não ser pleiteá-la.

PRISIONEIRO:
— Meritíssimo, creio que pode haver uma questão de lei decorrente da acusação, e eu humildemente imploraria ao tribunal que me designasse um advogado para considerá-la. Além disso, Meritíssimo, acredito que isso fora feito em outro caso: a cópia da acusação foi permitida.

PRESIDENTE DO TRIBUNAL DE JUSTIÇA:
— Que caso foi esse?

PRISIONEIRO:
— Na verdade, Meritíssimo, tenho sido mantido prisioneiro desde que cheguei de Exeter Castle, e ninguém teve permissão para vir até mim, e ninguém se aproximou para me aconselhar.

PRESIDENTE DO TRIBUNAL DE JUSTIÇA:
— Porém, pergunto, qual caso o senhor menciona?

PRISIONEIRO:
— Meritíssimo, não posso dizer a Vossa Excelência o nome exato do caso, mas estou pensando que ocorreu, e eu humildemente desejaria...

PRESIDENTE DO TRIBUNAL DE JUSTIÇA:
— Isso não é nada. Diga o caso a que se refere e lhe diremos se há algum assunto que lhe diga respeito. Livrai-me, Deus, mas o senhor deve ter tudo o que pode ser permitido por lei. Isso, porém, é contra a lei, e devemos manter o curso do tribunal.

PROCURADOR-GERAL (Sir Robert Sawyer):
— Meritíssimo, solicitamos que o rei possa ser convidado a pleitear.

SECRETÁRIO DO TRIBUNAL:
— O senhor é culpado pelo assassinato pelo qual é indiciado? Ou é inocente?

PRISIONEIRO:
— Meritíssimo, eu humildemente responderia isso ao tribunal. Se eu pleitear agora, depois terei uma oportunidade de negar diante da acusação?

PRESIDENTE DO TRIBUNAL DE JUSTIÇA:
— Sim, sim, isso ocorre depois do veredicto. Isso estará salvo para o senhor e para o advogado designado, se houver questão de lei. Porém o que deve fazer agora é a defesa.

Então, depois de algumas conversas com o tribunal, o que parecia estranho diante de uma acusação tão clara, o prisioneiro se declarou *inocente*.

SECRETÁRIO DO TRIBUNAL:
— Acusado. Como o senhor será julgado?

PRISIONEIRO:
— Por Deus e pela minha província.

SECRETÁRIO DO TRIBUNAL:
— Que Deus possa mandar-lhe uma boa libertação.

PRESIDENTE DO TRIBUNAL DE JUSTIÇA:
— Como assim? Aqui está uma grande oportunidade para que o senhor não seja julgado em Exeter por sua província, mas seja trazido aqui para Londres. E agora pede que seja julgado por sua província. Devemos mandá-lo para Exeter novamente?

PRISIONEIRO:
— Meritíssimo, pensei que fosse o padrão.

PRESIDENTE DO TRIBUNAL DE JUSTIÇA:
— Assim é, homem: nós falamos apenas de maneira agradável. Bem, vá em frente e jure perante o tribunal.

Então, fizeram o juramento. Eu omiti os nomes. Não houve contestação por parte do prisioneiro, pois, como disse, ele não conhecia nenhuma das pessoas convocadas. Em seguida, o prisioneiro pediu o uso de caneta, tinta e papel, ao que o Presidente do Tribunal de Justiça respondeu:

— Sim, sim, em nome de Deus, seja permitido.

Então a acusação usual foi entregue ao júri, e o caso foi aberto pelo conselheiro minoritário do Rei, Sr. Dolben.

PROCURADOR-GERAL:
— Esperando que agrade a Vossa Excelência e aos senhores do júri, sou conselheiro do Rei contra o prisioneiro no tribunal. Ouviu-se falar que ele foi indiciado por homicídio cometido contra uma jovem. Crimes como este sejam talvez considerados pouco incomuns e, de fato, nestes tempos, lamento dizê-lo, raramente existe qualquer fato tão bárbaro e antinatural, exceto dos quais podemos ouvir exemplos quase diários. Devo, porém, confessar que neste assassinato, pelo qual o prisioneiro é acusado, há algumas características particulares que o marcam de tal forma que espero que jamais tenha sido perpetrada em solo inglês. Pois, como vamos demonstrar, a pessoa assassinada era uma pobre camponesa, enquanto o prisioneiro é um cavalheiro com propriedade de sua exclusiva posse.

E, além disso, era aquela a quem a Providência não tinha dado o pleno uso de seus intelectos, mas era o que comumente se denomina entre nós inocente ou singular. Assim, portanto, como alguém poderia supor que um cavalheiro da qualidade do prisioneiro, com maior possibilidade de ignorar ou, se ele a notou, de sentir compaixão por sua infeliz condição, do que levantar a mão contra ela na maneira horrível e bárbara que demonstraremos que levantou.

— Agora, para começar no início e abrir o assunto aos senhores ordenadamente, digo que, por volta do Natal do ano passado, isto é, no ano de 1683, este senhor, Sr. Martin, acabava de voltar a sua província, vindo da Universidade de Cambridge. Alguns de seus vizinhos, para mostrar-lhe toda a civilidade que podiam, pois sua família é de muito boa reputação em toda a província, entretinham-no aqui e ali nas festas de Natal, de modo que ele estava constantemente andando de um lado para outro, de uma casa para outra, e, às vezes, quando o local de destino era distante, ou por outro motivo, como a insegurança das estradas, ele era obrigado a passar a noite em uma estalagem.

— Desta forma ocorreu sua ida, um dia ou dois após o Natal, ao local onde essa jovem morava com seus pais, e ali se hospedou na estalagem, chamada Estalagem Nova, que é, segundo fui informado, uma casa de boa reputação. Ali havia um pouco de dança acontecendo entre as pessoas do lugar, e Ann Clark fora trazida, ao que parece, por sua irmã mais velha para assistir, mas sendo, como disse, de compreensão fraca e, além disso, de aparência muito desagradável, não era provável que ela participasse muito da festa e, consequentemente, estava de pé em um canto do salão. O prisioneiro no tribunal, vendo-a, suposto que por meio de uma brincadeira, perguntou-lhe se ela dançaria com ele. Apesar do que sua irmã e outras pessoas poderiam dizer para evitar isso e dissuadi-la...

PRESIDENTE DO TRIBUNAL DE JUSTIÇA:
— Adiante-se, Sr. Procurador. Não estamos aqui para ouvir histórias de festas de Natal em tabernas. Eu não ia interrompê-lo, mas tenho certeza de que você tem assuntos mais importantes que isso. Logo nos dirá qual foi a música que dançaram.

PROCURADOR-GERAL:
— Meritíssimo, eu não ocuparia o tempo do tribunal com o que não é relevante, mas consideramos que é relevante mostrar como esse improvável fato teve início. E, quanto à melodia, acredito, de fato, que nossa evidência mostrará que até mesmo isso tem relação com o assunto em questão.

PRESIDENTE DO TRIBUNAL DE JUSTIÇA:
— Siga, siga, em nome de Deus. Porém não nos venha fornecer nada que seja impertinente.

PROCURADOR-GERAL:
— Na verdade, Meritíssimo, manterei meu raciocínio. Mas, senhores, tendo agora mostrado a vocês, como creio, o suficiente deste primeiro encontro entre a pessoa assassinada e o prisioneiro, encurtarei minha história a ponto de dizer que, a partir de então, houve encontros frequentes dos dois, pois a jovem ficou muito satisfeita por ter conseguido, como acreditava, um pretendente tão agradável, e ele, pelo menos uma vez por semana, tinha o hábito de passar pela rua em que ela morava, e ela sempre esperava vê-lo. Parece que eles tinham um sinal arranjado e que ele deveria assobiar a melodia que tocava na taberna. É uma melodia, como fui informado, bem conhecida naquela província e tem como refrão: *Senhora, desejas caminhar, desejas falar comigo?*

PRESIDENTE DO TRIBUNAL DE JUSTIÇA:
— Ah! Lembro-me disso em minha própria província, em Shropshire. É algo assim, não é?
[Aqui Sua Excelência assobiou parte de uma melodia, que era muito perceptível, e parecia estar abaixo da dignidade do tribunal. E parece ter percebido por si mesmo, pois seguiu:]

— Mas isso é pela evidência, e duvido que seja a primeira vez que tivemos melodias para dançar neste tribunal. A maior parte da dança que temos é feita em Tyburn.

[Olhando para o prisioneiro, que parecia muito desordenado, seguiu:]

— O senhor disse que a música era relevante para seu caso, Sr. Procurador, e creio que Sr. Martin está de acordo. O que há, homem? Parece estar vendo um fantasma!

PRISIONEIRO:
— Meritíssimo, fiquei surpreso ao ouvir coisas tão triviais e tolas como as que alegam contra mim.

PRESIDENTE DO TRIBUNAL DE JUSTIÇA:
— Bem, bem, cabe ao Sr. Procurador mostrar se são triviais ou não, mas devo dizer, se ele não possui nada pior que isso, o senhor não tem nenhuma grande razão para estar surpreso. Não seria algo mais profundo? De qualquer forma, prossiga, Sr. Procurador.

PROCURADOR-GERAL:
— Meritíssimo e senhores, tudo o que disse até agora pode ser, de fato, muito razoavelmente considerado como tendo uma aparência de trivialidade. E, com certeza, se o assunto não tivesse ido

além de uma pobre garota tola agradando a um jovem cavalheiro de qualidade, tudo teria seguido muito bem. Porém prossigamos. Parece que, depois de três ou quatro semanas, o prisioneiro ficou noivo de uma jovem dama daquela província, uma adequada em todos os sentidos para sua própria condição, e tal compromisso estava consolidado e parecia prometer-lhe uma vida feliz e respeitável.

— No entanto, dentro de pouco tempo, parece que essa jovem dama, ouvindo sobre a piada que estava acontecendo naquela província em relação ao prisioneiro e Ann Clark, percebeu que não era apenas um comportamento indigno por parte de seu pretendente, mas uma diminuição para si mesma que ele permitisse que seu nome fosse uma brincadeira para uma taberna. E assim, sem mais delongas, ela, com o consentimento de seus pais, disse ao prisioneiro que o casamento entre eles estava cancelado.

— Devemos relatar que, após a compreensão desse fato, o prisioneiro ficou muito furioso com Ann Clark, por ser a causa de seu infortúnio, embora de fato não houvesse ninguém responsável por isso, exceto ele mesmo. Assim, ele fez uso de muitas expressões ultrajantes e de ameaças contra ela e, posteriormente, ao encontrá-la, tanto abusou dela como a golpeou com seu chicote. Ela, porém, sendo apenas uma pobre inocente, não pôde ser persuadida a desistir de seu apego a ele, e muitas vezes corria até ele testemunhando com gestos e palavras sem sentido o afeto que sentia por ele, até que se tornou, como ele disse, a grande praga de sua vida.

— No entanto, como os negócios em que agora estava envolvido necessariamente o levavam à casa em que ela morava, ele não podia, como estou disposto a acreditar e não de outra forma, evitar o encontro com ela de vez em quando. Relataremos mais adiante que esse era a organização dos fatos até o dia 15 de maio do presente ano.

— Nesse dia, o prisioneiro vem cavalgando pela vila, como de costume, e encontra-se com a jovem, mas, em vez de ultrapassá-la, como tinha feito recentemente, ele parou. Disse algumas palavras com as quais ela parecia maravilhosamente satisfeita e, assim, a deixou. Depois desse dia, ela não estava em lugar algum em que pudesse ser encontrada, apesar de uma busca rigorosa ter sido realizada. No momento seguinte, quando o prisioneiro passava pelo local, familiares da jovem perguntaram se ele saberia de algo sobre o paradeiro dela, o que ele negou totalmente. Eles expressaram seus temores de que o frágil intelecto da moça pudesse ter ficado abalado com a atenção que ele havia demonstrado e, então, ela poderia ter cometido algum ato precipitado contra sua própria vida, chamando-o para testemunhar; ao mesmo tempo, quantas vezes eles haviam implorado para que ele desistisse de notá-la, pois temiam que problemas surgissem, mas disso, também, ele facilmente desdenhava.

— Porém, apesar desse comportamento calmo, era perceptível nele que desta vez sua postura e seu comportamento mudaram, e dizia-se dele que parecia um homem perturbado. E aqui eu chego a uma passagem para a qual eu não deveria ousar pedir a atenção dos senhores, mas que me parece ser fundada na verdade e é sustentada por testemunhos merecedores de reconhecimento. E, senhores, a meu ver, isso representa um grande exemplo da vingança de Deus contra o assassinato e de que Ele exigirá o sangue de inocentes.

[Aqui o Sr. Procurador fez uma pausa e mexeu com seus documentos; isso foi considerado extraordinário por mim e por outros, porque era um homem que não se abalava facilmente.]

PRESIDENTE DO TRIBUNAL DE JUSTIÇA:
— Bem, Sr. Procurador, qual é a sua prova?

PROCURADOR-GERAL:
— Meritíssimo, é estranho, e a verdade é que, de todos os casos em que me envolvi, não consigo lembrar-me de algo semelhante. Porém, para resumir, senhores, daremos o testemunho de que Ann Clark foi vista depois do dia 15 de maio em questão e que, na época em que foi vista, era impossível que ela pudesse ser uma pessoa viva.

[Aqui as pessoas murmuraram e deram muitas risadas. O tribunal pediu silêncio, e quando ele foi concedido:]

PRESIDENTE DO TRIBUNAL DE JUSTIÇA:
— Ora, Sr. Procurador, pode guardar esta história por uma semana. Será Natal nesse momento, e o senhor pode assustar suas cozinheiras com isso.
[As pessoas riram novamente, e o prisioneiro também, ao que parecia.]
— Meu Deus, homem, sobre o que o senhor está tagarelando? Fantasmas e histórias de Natal e companhias de taverna? Aqui está a vida de um homem em jogo!
[Ao prisioneiro:]
— E, senhor, gostaria que soubesse que não há tantos motivos para que se divirta também. O senhor não foi trazido aqui para isso e, se conheço o Sr. Procurador, ele tem mais em suas provas do que nos mostrou até agora. Prossiga, Sr. Procurador. Talvez não fosse necessária uma fala tão severa, mas o senhor deve confessar que sua conduta é algo incomum.

PROCURADOR-GERAL:
— Ninguém sabe disso melhor do que eu, Meritíssimo, mas vou acabar com isso de uma só vez. Alego, senhores, que o corpo de Ann Clark foi

encontrado no mês de junho, em uma lagoa, com a garganta cortada; que uma faca pertencente ao prisioneiro foi encontrada na mesma água e que ele fez esforços para recuperar a mencionada faca na água. Alego que a análise do legista trouxe um veredicto contra o prisioneiro no tribunal e que, portanto, ele deveria, naturalmente, ter sido julgado em Exeter. Porém, tendo sido feito um processo em seu nome e por conta de um júri imparcial não ter sido encontrado para julgá-lo em sua própria província, ele teve aquele singular benefício mencionado, que fosse julgado aqui em Londres. E, assim, continuemos a demonstrar nossas evidências.

— Então os fatos do conhecimento entre o prisioneiro e Ann Clark foram comprovados, bem como o inquérito do legista. Ignoro esta parte do julgamento, pois não oferece nada de especial interesse.

Sarah Arscott foi chamada e fez o juramento.

PROCURADOR-GERAL:
— Qual é a sua profissão?

SARAH ARSCOTT:
— Eu mantenho a Estalagem Nova em...

PROCURADOR-GERAL:
— A senhora conhece o prisioneiro aqui presente?

SARAH ARSCOTT:
— Sim. Ele estava frequentemente em nossa casa desde que veio pela primeira vez no Natal do ano passado.

PROCURADOR-GERAL:
— A senhora conheceu Ann Clark?

SARAH ARSCOTT:
— *Sim, muito bem.*

PROCURADOR-GERAL:
— Por favor, poderia descrevê-la com relação à aparência?

SARAH ARSCOTT:
— Ela era uma mulher muito baixa e robusta. Não sei o que mais o senhor gostaria que eu dissesse.

PROCURADOR-GERAL:
— Ela era bonita?

SARAH ARSCOTT:
— Não, de jeito nenhum. Ela era muito feia, pobre criança! Ela tinha um rosto grande, costeletas penduradas e uma cor muito feia, como a de um bufo bufo.

PRESIDENTE DO TRIBUNAL DE JUSTIÇA:
— O que é isso, senhora? Como a senhora acha que ela se parecia?

SARAH ARSCOTT:
— Meritíssimo, peço perdão. Ouvi o Sr. Martin dizer que o rosto dela parecia o de um bufo bufo, e realmente parecia.

PRESIDENTE DO TRIBUNAL DE JUSTIÇA:
— Você pode interpretá-la, Sr. Procurador?

PROCURADOR-GERAL:
— Meritíssimo, acho que é a palavra da província para sapo.

PRESIDENTE DO TRIBUNAL DE JUSTIÇA:
— Ah, como um sapo comum! Sim, prossiga.

PROCURADOR-GERAL:
— A senhora é capaz esclarecer ao júri o que se passou entre a senhora e o prisioneiro no tribunal no último mês de maio?

SARAH ARSCOTT:
— Sim, senhor. Eram cerca de nove horas da noite depois que Ann não tinha voltado, e eu estava trabalhando na casa. Não havia companhia ali,

apenas Thomas Snell, e o tempo estava ruim. Sr. Martin entrou e pediu um drinque, e eu, como cortesia, disse-lhe: "Senhor, está procurando sua queridinha?". E ele voou em mim com raiva e desejo de que eu não usasse tais expressões. Fiquei surpresa com isso, porque estávamos acostumados a brincar com ele sobre ela.

PRESIDENTE DO TRIBUNAL DE JUSTIÇA:
— Ela quem?

SARAH ARSCOTT:
— Ann Clark, Meritíssimo. E não ouvimos a notícia de que ele tinha se comprometido com uma jovem dama em outro lugar, ou tenho certeza de que deveria ter tido melhores comportamentos. Portanto, não disse nada, mas, estando um pouco desconcertada, comecei a cantar, para mim mesma, a canção que dançaram na primeira vez que se conheceram, pois pensei que isso o distrairia. Era a mesma que ele costumava cantar quando descia a rua, já ouvi muitas vezes: *Senhora, desejas caminhar, desejas falar comigo?*
— E percebi que precisava de algo que estava na cozinha. Então eu saí para pegar, e o tempo todo continuei cantando, algo mais alto e mais ousado. Quando estava lá, de repente pensei ter ouvido alguém respondendo do lado de fora da casa, mas

não tinha certeza por causa do vento forte. Então parei de cantar e, nesse momento, ouvi claramente algo dizendo: *"Sim, senhor. Caminharei, falarei a ti"*, e reconheci a voz de Ann Clark.

PROCURADOR-GERAL:
— Como sabia que era a voz dela?

SARAH ARSCOTT:
— Era impossível que eu pudesse estar enganada. Ela tinha uma voz terrível, uma espécie de voz estridente, especialmente se tentasse cantar. E não havia ninguém na vila que pudesse imitá-la, pois tentavam com frequência. Então, ao ouvir isso, fiquei feliz, porque estávamos todos ansiosos para saber o que estava acontecendo com ela, pois, embora ela fosse uma pessoa singular, tinha uma boa disposição e era muito dócil. Assim, disse a mim mesma: "Ora, criança! Voltou, então?".
— Corri para o salão e disse a Sr. Martin ao passar: "Sr., aqui está sua queridinha novamente. Devo chamá-la?". E com isso fui abrir a porta, mas Sr. Martin me agarrou e parecia estar fora de si, ou perto disso, ao dizer: "Espere, mulher, em nome de Deus!", e não sei o que mais. Ele estava abalado.
— Então eu fiquei com raiva e perguntei: "O quê? Não está feliz que a pobre criança foi encontrada?". Chamei Thomas Snell e disse: "Se esse senhor não

me deixa, abra a porta e chame-a". Então, Thomas Snell abriu a porta e o vento soprando assim entrou e apagou as duas velas, que eram tudo o que tínhamos acendido. Sr. Martin deixou de me segurar, acho que caiu no chão, mas estávamos totalmente no escuro, e passou um ou dois minutos antes que eu acendesse as velas novamente. Enquanto eu estava tateando à procura da caixa de fósforos, não tenho certeza, mas ouvi alguém pisar no chão, e tenho certeza de que ouvi a porta do grande armário que está no salão abrir e fechar. Então, quando acendi a luz de novo, vi Sr. Martin no banco, todo branco e suado, como se tivesse desmaiado, e com os braços pendurados. Eu ia ajudá-lo, mas então percebi que havia algo como um pedaço de vestido fechado na porta do armário, e me veio à mente que eu tinha ouvido aquela porta fechar-se. Então pensei que poderia ser alguma pessoa que tivesse entrado correndo quando a luz se apagou e se estivesse escondendo no armário. Então cheguei mais perto e olhei. Havia um pedaço de uma capa de tecido preto, e logo abaixo dela uma ponta de um vestido de tecido marrom, ambos saindo pela porta fechada. Ambos estavam baixos, como se a pessoa que os estava usando estivesse agachada lá dentro.

PROCURADOR-GERAL:
— O que a senhora achou que fosse?

SARAH ARSCOTT:
— Pensei que fosse um vestido de mulher.

PROCURADOR-GERAL:
— A senhora poderia supor a quem pertencia? Conhece alguém que usava esse vestido?

SARAH ARSCOTT:
— Era uma peça comum, pelo que pude ver. Tenho visto muitas mulheres usando uma peça dessas em nossa vila.

PROCURADOR-GERAL:
— Era parecido com o vestido de Ann Clark?

SARAH ARSCOTT:
— Ela costumava usar um vestido assim, mas não poderia dizer sob juramento que era dela.

PROCURADOR-GERAL:
— A senhora observou mais alguma coisa com relação a isso?

SARAH ARSCOTT:
— Reparei que parecia muito úmido, mas fazia um tempo ruim do lado de fora.

PRESIDENTE DO TRIBUNAL DE JUSTIÇA:
— Você o sentiu, senhora?

SARAH ARSCOTT:
— Não, Meritíssimo, não quis tocá-lo.

PRESIDENTE DO TRIBUNAL DE JUSTIÇA:
— Não? Por quê? A senhora é tão prudente a ponto de hesitar sentir um vestido úmido?

SARAH ARSCOTT:
— Na verdade, Meritíssimo, não posso dizer muito bem o motivo, apenas tinha uma aparência desagradável e feia.

PRESIDENTE DO TRIBUNAL DE JUSTIÇA:
— Bem, prossiga.

SARAH ARSCOTT:
— Então chamei novamente Thomas Snell e pedi-lhe que viesse até mim e pegasse qualquer um que saísse quando eu abrisse a porta do armário. Eu disse: "Há alguém escondido aí dentro e eu quero saber o que deseja". Com isso, o Sr. Martin deu uma espécie de gemido ou grito e saiu correndo da casa para a escuridão, e senti a porta do armário ser empurrada contra mim enquanto eu a segurava. Thomas Snell me ajudou, mas, por mais que tenhamos pressionado para mantê-la fechada o máximo que podíamos, ela foi forçada contra nós e tivemos de recuar.

PRESIDENTE DO TRIBUNAL DE JUSTIÇA:
— E o que saiu? Um rato?

SARAH ARSCOTT:
— Não, Meritíssimo, era maior do que um rato, mas não consegui ver o que era. Correu muito rápido pelo chão e saiu pela porta.

PRESIDENTE DO TRIBUNAL DE JUSTIÇA:
— Mas prossiga. Com o que se parecia? Era uma pessoa?

SARAH ARSCOTT:
— Meritíssimo, não sei dizer o que era, mas aquilo correu muito embaixo e era de uma cor escura. Nós dois estávamos assustados com isso, Thomas Snell e eu, mas nos apressamos ao máximo até a porta que estava aberta. Olhamos para fora, mas estava escuro e não podíamos ver nada.

PRESIDENTE DO TRIBUNAL DE JUSTIÇA:
— Não havia rastros daquilo no chão? Que tipo de piso a senhora tem lá?

SARAH ARSCOTT:
— É um chão lajeado e lixado, Meritíssimo, e havia a aparência de uma trilha molhada no chão, mas não podíamos seguir nada disso, nem Thomas

Snell nem eu, e além disso, como eu disse, era uma noite horrível.

PRESIDENTE DO TRIBUNAL DE JUSTIÇA:
— Bem, de minha parte, não vejo o que o senhor faria com essa evidência, embora seja com certeza uma história estranha que ela conta.

PROCURADOR-GERAL:
— Meritíssimo, trouxemos tal testemunho para mostrar o comportamento suspeito do prisioneiro imediatamente após o desaparecimento da pessoa assassinada, e pedimos a consideração do júri sobre isso e também sobre a questão da voz ouvida fora da casa.

Então o prisioneiro fez algumas perguntas não muito importantes, e Thomas Snell foi chamado em seguida. Ele deu seu depoimento no mesmo sentido que a Sra. Arscott e acrescentou o seguinte:

PROCURADOR-GERAL:
— Algo se passou entre o senhor e o prisioneiro durante o tempo em que a Sra. Arscott estava fora do salão?

THOMAS SNELL:
— Eu tinha um pedaço de rolo no bolso.

PROCURADOR-GERAL:
— Rolo de quê?

THOMAS SNELL:
— Rolo de fumo, senhor, e tive vontade de fumar um cachimbo. Então encontrei um na estante em cima da lareira, e estando o fumo enrolado, e em relação a mim por um descuido de ter deixado minha faca em minha casa e não ter muitos dentes para arrancá-la, como Vossa Excelência ou qualquer outra pessoa pode ver por si mesmo...

PRESIDENTE DO TRIBUNAL DE JUSTIÇA:
— Sobre o que o homem está falando? Vá direto ao ponto, cidadão! Acha que nos sentamos aqui para olhar seus dentes?

THOMAS SNELL:
— Não, Meritíssimo, nem eu deveria olhar, Deus me perdoe! Sei que Vossa Excelência tem funções melhores e dentes melhores, isso não me surpreende.

PRESIDENTE DO TRIBUNAL DE JUSTIÇA:
— Meu Deus, que homem é esse? Sim, eu *tenho* dentes melhores, e isso o senhor descobrirá se não cumprir o seu propósito.

THOMAS SNELL:

— Eu humildemente peço perdão, Meritíssimo, mas foi assim. E quis, sem pensar em prejudicar ninguém, pedir ao Sr. Martin que me emprestasse sua faca para cortar meu tabaco. E ele procurou primeiro em um bolso e depois no outro, e não estava lá. E eu perguntei: "O quê? Perdeu sua faca, senhor?". Ele se levantou, procurou novamente, depois se sentou, deu um gemido como "Meu Deus!" e disse: "Devo ter deixado lá". E eu disse: "Mas, senhor, aparentemente *não* está lá. É de algum valor? O senhor está chorando?". Mas ele sentou-se lá e colocou a cabeça entre as mãos, e pareceu não notar o que eu tinha dito. E então a Senhora Arscott voltou da cozinha.

Questionado se ouviu a voz cantando do lado de fora da casa, quando a porta da cozinha estava fechada e ventava forte, ele disse: "Não, ninguém confundiria a voz de Ann Clark".
Então, um menino, William Reddaway, com cerca de treze anos de idade, foi chamado e, pelas perguntas habituais feitas pelo Presidente do Tribunal de Justiça, foi verificado que ele conhecia a natureza de um juramento. E assim ele fez o juramento. Sua evidência referia-se a um momento cerca de uma semana depois.

PROCURADOR-GERAL:
— Agora, criança, não tenha medo. Ninguém aqui vai prejudicá-lo se falar a verdade.

PRESIDENTE DO TRIBUNAL DE JUSTIÇA:
— Sim, se ele falar a verdade. Mas lembre-se, criança, você está na presença do grande Deus do céu e da terra, que possui as chaves do inferno, e de nós, que somos os oficiais do rei e temos os poderes de Newgate. E lembre-se também que existe a vida de um homem em questão, e, se disser uma mentira e por isso ele chegar a um fim terrível, você não será melhor que seu assassino, então diga a verdade.

PROCURADOR-GERAL:
— Diga ao júri o que sabe. Onde você estava na noite de 23 do último mês de maio?

PRESIDENTE DO TRIBUNAL DE JUSTIÇA:
— Ora, o que um menino como este sabe dos dias? Consegue reconhecer o dia, menino?

WILLIAM REDDAWAY:
— Sim, Meritíssimo, era um dia antes de nossa festa, e eu deveria gastar seis moedas lá; isso cai um mês antes do solstício de verão.

UM DOS JURADOS:
— Meritíssimo, não conseguimos ouvir o que ele diz.

PRESIDENTE DO TRIBUNAL DE JUSTIÇA:
— Ele diz que se lembra daquele dia porque era um dia antes da festa que eles tinham ali, e ele tinha seis moedas para gastar. Coloque-o na mesa ali. Bem, criança, e onde você estava então?

WILLIAM REDDAWAY:
— Cuidando das vacas na charneca, Meritíssimo.

Porém, com o menino usando a linguagem do campo, o Presidente não poderia entendê-lo bem, então perguntou se havia alguém que pudesse interpretá-lo, e responderam que o pároco da região estava lá. Ele fez o juramento e forneceu as evidências dadas. O menino disse:
— Eu estava na charneca por volta das seis horas, sentado atrás de um arbusto perto de um lago, e o prisioneiro veio com muita cautela e olhando em volta, tendo algo como uma vara comprida na mão. Parou um bom tempo, como se estivesse ouvindo algo, e então começou a mexer na água com a vara. Eu, estando muito perto da água, não mais de cinco metros, ouvi como se a vara batesse contra algo que fizesse um som afundado. O prisioneiro largou a vara e jogou-se no chão, girando de um lado para o outro de maneira muito estranha, com as mãos nos ouvidos. Depois de um tempo, levantou-se e foi embora arrastando-se.

Questionado se tinha tido alguma comunicação com o prisioneiro, ele respondeu:

— Sim, um dia ou dois antes, o prisioneiro, ouvindo que eu estava acostumado a estar na charneca, perguntou-me se eu tinha visto uma faca ali, e disse que me daria seis moedas para encontrá-la. E eu disse que não tinha visto nada parecido, mas eu poderia perguntar a respeito disso. Então ele disse que me daria seis moedas para não dizer nada a ninguém, e assim fez.

PRESIDENTE DO TRIBUNAL DE JUSTIÇA:
— E essas eram as seis moedas que você gastaria na festa?

WILLIAM REDDAWAY:
— Sim, se me permite, Meritíssimo.

Questionado se havia observado algo específico sobre o lago, ele disse:
— Não, exceto que começou a ter um cheiro muito ruim, e as vacas não bebiam dele alguns dias antes. Questionado se ele já tinha visto o prisioneiro e Ann Clark em companhia juntos, ele começou a chorar muito, e demorou muito para que conseguissem fazê-lo falar de maneira compreensível. Por fim, o pároco da região, Sr. Matthews, fez com que ele ficasse calmo, e a pergunta lhe foi coloca-

da novamente. Ele disse que tinha visto Ann Clark esperando na charneca pelo prisioneiro em algum lugar distante, várias vezes desde o último Natal.

PROCURADOR-GERAL:
— Você a viu de perto para ter certeza de que era ela?

WILLIAM REDDAWAY:
— Sim, com certeza.

PRESIDENTE DO TRIBUNAL DE JUSTIÇA:
— Como tem certeza, criança?

WILLIAM REDDAWAY:
— Porque ela se levantava e pulava para cima e para baixo e batia palmas como um ganso [o que ele chamou por algum nome local, mas o pároco explicou que era um ganso]. E então ela estava de um jeito que não poderia ser mais ninguém.

PROCURADOR-GERAL:
— Qual foi a última vez que a viu?

Então a testemunha começou a chorar novamente e agarrou-se muito ao Sr. Matthews, que pediu que não tivesse medo. E assim, finalmente, ele contou esta história:

— No dia anterior à sua festa, sendo a mesma noite que havia mencionado antes, após a partida do prisioneiro, sendo então crepúsculo e estando ele muito desejoso de chegar a casa, mas com medo de ser visto onde não deveria, permaneceu alguns minutos atrás do arbusto olhando para a charneca e viu algo escuro sair da água na beira do lago mais longe dele seguindo até a beira. E, quando chegou a um lugar onde ele podia vê-la claramente em contraste com o céu, ela se levantou e bateu os braços para cima e para baixo e depois correu muito rapidamente na mesma direção que o prisioneiro tinha tomado. Sendo questionado muito estritamente sobre quem ele acreditava que fosse, disse após seu juramento que não poderia ser ninguém além de Ann Clark.

Depois disso, seu mestre foi chamado e deu testemunho de que o menino tinha chegado a casa muito tarde naquela noite e foi repreendido por isso, e que ele parecia muito atônito, mas não podia dar nenhum relato do motivo.

PROCURADOR-GERAL:
— Meritíssimo, terminamos com nossas evidências perante o Rei.

Em seguida, o Presidente do Tribunal de Justiça chamou o prisioneiro para fazer sua defesa e ele a fez, embora sem grande extensão, e de modo muito hesitante, dizendo esperar que o júri não estivesse prestes a tirar sua vida com base nas evidências de uma parcela de camponeses e crianças que acreditariam em qualquer conto mentiroso. Disse também ter sido muito prejudicado em seu julgamento, ao que o Presidente do Tribunal de Justiça o interrompeu dizendo que ele tinha tido um favor singular em seu benefício ao ter seu julgamento removido de Exeter.

O prisioneiro, reconhecendo isso, disse desejar exprimir que, desde que fora trazido para Londres, não houve cuidado para mantê-lo protegido de interrupções e perturbações. Assim, o Presidente do Tribunal de Justiça ordenou que o Marechal fosse chamado e o questionou sobre a segurança do prisioneiro, mas não encontrou nada, exceto que o Marechal disse ter sido informado pelo guarda que tinha visto uma pessoa do lado de fora de sua porta ou subindo as escadas até ele, mas não havia nenhuma possibilidade de que a pessoa tivesse entrado. Questionado ainda sobre qual tipo de pessoa poderia ser, o Marechal disse não poder falar sobre isso se não por boatos, o que não era permitido. E o prisioneiro, questionado se isso era o que ele quis dizer, disse que não, ele não sabia nada disso, mas era muito difícil que um homem ficasse em silêncio quando sua vida dependia disso. Porém, observou-se que ele foi muito precipitado em sua negação. E, assim, não disse mais nada e não chamou testemunhas. Sobre isso, o Procurador-Geral falou com o júri.

[Um relatório completo do que ele disse é fornecido, e, se o tempo é permitido, eu extrairia aquela parte em que ele descreve a suposta aparência da pessoa assassinada. Ele cita algumas autoridades de data antiga, como Santo Agostinho *de cura pro mortuis gerenda* (um livro de referência favorito com os antigos escritores sobre o sobrenatural), e também cita alguns casos que podem ser vistos em Glanvill, porém mais convenientemente nos livros de Sr. Lang. Ele, no entanto, não nos diz mais desses casos do que pode ser encontrado nas páginas impressas.]

O Presidente do Tribunal de Justiça, então, resumiu as evidências para o júri. Seu discurso, novamente, não contém nada que eu acho que valha a pena copiar, mas foi naturalmente impressionado com o caráter singular da evidência, dizendo que nunca tinha ouvido tais dados em sua experiência, mas que não havia nada na lei que os anulasse, e que o júri deveria considerar se acreditava nessas testemunhas ou não.

E o júri, depois de uma breve consulta, definiu o prisioneiro como culpado.

Então, ele foi questionado se tinha algo que dizer na emissão da sentença, e ali alegou que seu nome estava escrito errado na acusação, sendo Martin com um I, enquanto que deveria ser com um Y. Isso, porém, foi anulado como não material. Disse o Sr. Procurador, além disso, que poderia trazer provas para mostrar que o prisioneiro o escreveu muitas vezes como foi colocado na acusação. E, não tendo o prisioneiro mais nada que oferecer, a sentença de morte foi decretada, e ele deveria ser enforcado com correntes em uma forca perto do local onde o fato fora cometido. A execução deveria ocorrer no dia 28 de dezembro seguinte, sendo o Dia dos Inocentes.

Depois disso, o prisioneiro, aparentemente em estado de desespero, mudou de ideia, pedindo ao Presidente do Tribunal de Justiça que permitisse que seus parentes fossem procurá-lo durante o curto período de vida que tinha.

PRESIDENTE DO TRIBUNAL DE JUSTIÇA:
— Sim, de todo o coração, que seja na presença do guardião. E Ann Clark pode vir até o senhor também, pelo que entendi.

Ao que o prisioneiro irrompeu e pediu a Sua Excelência para não usar tais palavras com ele. Sua Excelência, muito zangado, disse que ele não merecia compaixão das mãos de nenhum homem por ser um assassino carniceiro covarde que não teve estômago para receber a recompensa de seus atos, e disse:

— Espero que Deus esteja com o senhor de dia e de noite, até o seu fim.

Então, o prisioneiro foi levado e, até onde eu vi, estava em uma carroça; e o Tribunal se dissolveu.

Não posso abster-me de observar que o prisioneiro, durante todo o tempo do julgamento, parecia estar mais inquieto do que é comumente o caso, mesmo nas causas da capital. Ele, por exemplo, olhava estreitamente entre as pessoas e muitas vezes virava-se muito bruscamente, como se alguma pessoa pudesse estar próxima de seu ouvido. Também foi muito perceptível nesse julgamento o silêncio mantido pelo povo e, além disso, embora isso possa não ser diferente do natural naquela época do ano, que havia escuridão e obscuridade no tribunal. Havia luzes sendo trazidas não muito depois das duas da tarde, e ainda não havia neblina na cidade.

Não foi sem interesse que eu ouvi recentemente de alguns jovens que faziam uma apresentação na mencionada vila que um sentido muito frio foi conferido à canção que foi apresentada nesta narrativa: "Senhora, desejas caminhar?". Notou-se em uma conversa que eles tiveram na manhã seguinte com algumas pessoas locais que aquela canção era considerada de uma repugnância invencível. Não era assim em North Tawton, eles acreditavam, mas aqui era considerada azar. No entanto, quanto ao motivo dessa tradição, ninguém tinha a menor sombra de ideia.

Sr. Humphreys e sua herança

Cerca de quinze anos atrás, em uma data no final de agosto ou no início de setembro, um trem parou em Wilsthorpe, uma estação rural no leste da Inglaterra. Dela saiu, com outros passageiros, um jovem bastante alto e razoavelmente bonito, carregando uma bolsa e alguns papéis amarrados em um pacote. Ele esperava ser encontrado, considerando a maneira como olhava ao seu redor; e ele foi, obviamente, esperado.

O chefe da estação correu um ou dois passos à frente e então, parecendo recompor-se, virou-se, acenou para uma pessoa corpulenta e próxima, de barba curta e enrolada, que observava o trem com alguma aparência de espanto, e gritou:

— Sr. Cooper! Sr. Cooper, acho que este é o seu cavalheiro. — E, depois, para o passageiro que acabara de desembarcar: — Sr. Humphreys? Fico feliz em lhe dar as boas-vindas a Wilsthorpe. Há um carrinho para a sua bagagem na entrada, e aqui está o Sr. Cooper, acho que o senhor sabe.

Sr. Cooper apressou-se, levantou o chapéu e apertou as mãos ao dizer:

— É um grande prazer, com certeza, fazer minhas as amáveis palavras de Sr. Palmer. Eu deveria ter sido o primeiro a dizer, mas o rosto não me era familiar, Sr. Humphreys. Que sua permanência entre nós seja marcada como um momento memorável, senhor.

— Muito obrigado, Sr. Cooper, por seus desejos positivos e também ao Sr. Palmer — disse Humphreys. — Espero sinceramente que esta mudança de... local, pela qual todos sentem muito, tenho certeza, não cause danos às pessoas com quem terei contato.

Ele parou, sentindo que as palavras não se encaixavam da maneira mais feliz possível, e Sr. Cooper o interrompeu:

— Oh, pode ficar tranquilo com isso, Sr. Humphreys. Assumirei a responsabilidade de assegurar, senhor, que uma recepção calorosa o aguarde por todos os lados. E, quanto a qualquer mudança de propriedade que venha a ser prejudicial para a vizinhança, bem, seu falecido tio...

E aqui Sr. Cooper também parou talvez em obediência a um funcionário interno, talvez porque Sr. Palmer, pigarreando alto, pediu a Humphreys sua passagem. Os dois homens deixaram a pequena estação e, por sugestão de Humphreys, decidiram caminhar até a casa de Sr. Cooper, onde o almoço os esperava.

A relação entre essas personagens pode ser explicada em poucas linhas. Humphreys herdou, de forma bastante inesperada, uma propriedade de um tio: mas nem a propriedade nem o tio ele jamais vira. Estava sozinho no mundo, um homem de boa habilidade e natureza gentil, cujo emprego em um escritório do governo nos últimos quatro ou cinco anos não tinha feito muito além do que prepará-lo para a vida de um homem interiorano. Ele era estudioso, bastante tímido e realizava poucas atividades ao ar livre, exceto golfe e jardinagem. Hoje ele fora visitar Wilsthorpe pela primeira vez e encontrou-se com Sr. Cooper, o oficial, para tratar dos assuntos que exigiam atenção imediata.

Pode-se perguntar: como essa veio a ser sua primeira visita? Ele não deveria, por decência, ter comparecido ao funeral de seu tio? A resposta não é difícil de encontrar. Ele estava no exterior no momento da morte, e seu endereço não fora imediatamente encontrado. Por isso ele adiou a visita a Wilsthorpe até ouvir que tudo estava pronto para recebê-lo. E agora o encontramos na confortável casa de Sr. Cooper, de frente para a casa paroquial, tendo acabado de apertar as mãos das sorridentes Sra. e Srta. Cooper.

Durante os minutos que antecederam o anúncio do almoço, o grupo acomodou-se em trabalhadas poltronas da sala de estar. Humphreys, por sua vez, transpirava silenciosamente com a impressão de estar sendo avaliado.

— Eu estava dizendo ao Sr. Humphreys, minha querida, que espero e confio que sua residência entre nós aqui em Wilsthorpe seja marcada em seu calendário como um momento memorável — disse Sr. Cooper.

— Sim, de fato, tenho certeza — respondeu cordialmente Sra. Cooper. — E que haja muitas, muitas dessas marcas.

Srta. Cooper murmurou palavras com o mesmo efeito, e Humphreys tentou uma brincadeira ao deixar todo o calendário cheio de marcas vermelhas, o que, embora recebido com risadas estridentes, evidentemente não foi totalmente compreendido. Nesse momento, seguiram para o almoço.

— O senhor conhece esta parte do país, Sr. Humphreys? — perguntou Sra. Cooper após um breve intervalo.

Essa foi uma melhor introdução.

— Não. Lamento dizer que *não* — respondeu Humphreys. — Parece muito agradável pelo que pude ver ao descer do trem.

— Oh, é, *sim,* um lugar agradável. Realmente, às vezes digo que não conheço lugar melhor neste país, e as pessoas ao redor também. E isso é sempre assim. Porém temo que tenha chegado um pouco tarde para algumas das melhores festas no jardim, Sr. Humphreys.

— Suponho que sim, minha cara. Que pena! — disse Humphreys, com um sorriso de alívio; e então, sentindo que algo mais poderia ser extraído desse tópico, continuou: — Mas, afinal, sabe, Sra. Cooper, mesmo que eu pudesse ter estado aqui antes, teria estado excluído delas, não? O recente falecimento do meu pobre tio, a senhora sabe...

— Oh, meu Deus, Sr. Humphreys, com certeza. Que coisa horrível de minha parte dizer isso! — Sr. e Srta. Cooper apoiaram inexpressivamente a colocação. — O que estava pensando? Eu sinto muito. Por favor, perdoe-me.

— De jeito nenhum, Sra. Cooper, acalme-se. Não posso afirmar honestamente que a morte de meu tio foi uma grande tristeza para mim, pois nunca o vi. Tudo o que eu quis dizer é que não deveria participar de festividades desse tipo durante algum tempo.

— Bem, realmente é muito gentil de sua parte entender dessa forma, Sr. Humphreys. Não é, George? O senhor me *perdoa*? Porém não acredito! O senhor nunca viu o pobre Sr. Wilson!

— Nunca em minha vida, nem recebi uma carta dele. Porém, a propósito, a senhora tem algo por que *me* perdoar. Nunca lhe agradeci, exceto por carta, por todo o trabalho que teve para encontrar pessoas que me ajudassem na Mansão.

— Oh, tenho certeza de que não foi nada, Sr. Humphreys, mas realmente acho que o senhor verá que eles satisfarão suas necessidades. Conhecemos há vários anos o homem e sua esposa, que temos como mordomo e governanta, um casal tão bom e respeitável, e Sr. Cooper, tenho certeza, pode responder pelos homens nos estábulos e jardins.

— Sim, Sr. Humphreys, eles são muitos. O jardineiro-chefe é o único que parou na época de Sr. Wilson. A maior parte dos empregados, como sem dúvida o senhor viu pelo testamento, recebeu missões do velho senhor e se aposentou, e, como diz a esposa, sua governanta e seu mordomo estão instruídos para cumprir todas as necessidades do senhor.

— Então, Sr. Humphreys, tudo está pronto para que o senhor assine hoje mesmo, de acordo com o que entendi ser seu desejo — disse Sra. Cooper. — Tudo, exceto a companhia, e aí temo que o senhor se veja completamente em dificuldade. Entendemos apenas que era sua intenção mudar-se imediatamente. Se não, tenho certeza de que o senhor sabe que ficaríamos muito contentes de tê-lo aqui.

— Tenho certeza que sim, Sra. Cooper, e sou muito grato. Mas achei que seria realmente melhor me mudar imediatamente. Estou acostumado a morar sozinho, e haverá bastante ocupação em minhas noites examinando papéis, livros e assim por diante, durante algum tempo. Pensei que se Sr. Cooper pudesse reservar um tempo esta tarde para examinar a casa e o terreno comigo…

— Certamente, certamente, Sr. Humphreys. Meu tempo é seu, até a hora que desejar.

— Até a hora do jantar, papai, o senhor quer dizer — interrompeu Srta. Cooper. — Não se esqueça de que vamos até a casa dos Brasnetts. O senhor tem todas as chaves do jardim?

— A senhorita é uma boa jardineira, Srta. Cooper? — perguntou Sr. Humphreys. — Gostaria que me dissesse o que devo esperar encontrar na Mansão.

— Oh, eu não sou *muito* boa em jardinagem, Sr. Humphreys. Gosto muito de flores, mas o jardim da Mansão pode ser muito bonito, costumo dizer, mas é muito antiquado como está e com muitos arbustos. Além disso, há um antigo templo e um labirinto.

— A sério? A senhorita já o explorou alguma vez?

— Não, não — respondeu Srta. Cooper, mordendo os lábios ao balançar a cabeça. — Muitas vezes tive vontade de tentar, mas o velho Sr. Wilson sempre o deixava trancado. Ele não deixou nem mesmo a Senhora Wardrop entrar ali. Ela mora perto daqui, em Bentley, o senhor sabe, e é uma ótima jardineira, caso precise. Foi por isso que perguntei ao papai se ele tinha todas as chaves.

— Entendi. Bem, devo evidentemente examinar isso e mostrar para a senhorita assim que aprender o caminho.

— Oh, muito obrigada, Sr. Humphreys! Agora vou rir da Srta. Foster, ela é a filha do nosso pároco, o senhor sabe. Eles estão de férias agora, são pessoas tão legais. Sempre tivemos uma brincadeira entre nós sobre quem poderia ser a primeira a entrar no labirinto.

— Acho que as chaves do jardim devem estar na casa — disse Sr. Cooper, que olhava para um grande molho. — Há várias lá na biblioteca. Agora, Sr. Humphreys, se estiver preparado, podemos despedir-nos dessas damas e prosseguir em nossa pequena viagem de exploração.

Quando saíram pelo portão da frente de Sr. Cooper, Humphreys teve de assumir o desafio de uma demonstração não organizada, mas com muitos toques de chapéus e cuidadosa contemplação de homens e mulheres que se reuniram em um número um tanto incomum na rua da vila. Ele teve ainda de trocar alguns comentários com a esposa do guarda do hotel quando passaram pelos portões do parque e com o próprio guarda que cuidava do caminho no parque. Não posso, entretanto, perder tempo para relatar o progresso completamente. Enquanto atravessavam meia milha ou mais entre a estalagem e a casa, Humphreys aproveitou a ocasião para fazer a seu companheiro algumas perguntas que trouxeram à tona o tema de seu falecido tio, e não demorou muito para que Sr. Cooper embarcasse em uma reflexão.

— É estranho pensar, como minha esposa dizia há pouco, que o senhor nunca tenha visto o velho homem. E, no entanto, o senhor não me interpretará mal, Sr. Humphreys, creio ter liberdade suficiente para dizer, em minha opinião, que haveria pouca simpatia entre o senhor e ele. Não que eu tenha uma palavra para dizer em desaprovação, nem uma única palavra. Posso dizer o que ele era… — Sr. Cooper parou de repente e fixou os olhos em Humphreys. — Posso dizer que ele era de poucas palavras, como diz o ditado. Ele estava sempre completamente adoentado. Isso o descreve muito bem. Isso é o que ele era, senhor, um completo enfermo. Porém isso não tem que ver com o que houve com ele. Arrisquei-me, creio, ao enviar-lhe algumas palavras de recorte do nosso jornal local e posso ter de algum modo contribuído com seu falecimento. Se me recordo corretamente, essa era a essência deles.

Cooper fez uma breve pausa e logo continuou batendo de forma impressionante em seu peito:

— Mas não, Sr. Humphreys, não fuja com a impressão de que eu desejo dizer qualquer coisa, mas o que é muito merecido, *muito* merecido, de seu respeitado tio e meu falecido chefe. Grande Sr. Humphreys, aberto como o dia, generoso para todos em seus negócios. Ele tinha o coração para sentir e a mão para acomodar. Mas ali estava. Ali estava a pedra em seu caminho, sua infeliz saúde ou, sendo mais sincero, sua *falta* de saúde.

— Sim, pobre homem. Ele sofreu de algum distúrbio diferente antes de sua última doença? O que, suponho, tenha sido um pouco mais que a idade avançada?

— Apenas isso, Sr. Humphreys, apenas isso. A luz sumindo lentamente na panela — disse Cooper, com o que considerou um gesto apropriado. — A tigela dourada gradualmente parando de vibrar. Mas, quanto à sua outra pergunta, devo retornar a uma resposta negativa. Ausência geral de vitalidade? Sim. Enfermidade especial? Não. A menos que o senhor considere uma desagradável tosse que ele teve. Ora, aqui estamos nós praticamente na casa. Uma bela mansão, Sr. Humphreys. Não acha?

No geral, ela merecia o epíteto, mas tinha proporções estranhas. Uma casa muito alta de tijolos vermelhos com um parapeito plano, ocultando quase inteiramente o telhado. Dava a impressão de uma casa urbana construída no campo. Havia um porão e um lance de escadas bastante imponente que levava à porta da frente. Parecia também, devido à sua altura, carecer de laterais, mas não havia nenhuma. Os estábulos e outros locais estavam escondidos por árvores. Humphreys calculou sua data provável como 1770 ou alguma próxima.

O velho casal, contratado para atuar como mordomo e cozinheira-governanta, esperava à porta da frente e abriu-a quando seu novo patrão se aproximou. O sobrenome deles, Humphreys já sabia, era Calton. Sobre sua aparência e suas maneiras, ele formou uma impressão favorável nos poucos minutos de conversa que tiveram. Ficou combinado que ele deveria examinar o exterior e o porão no dia seguinte com Sr. Calton, e que Sra. C. deveria ter uma conversa com ele sobre toalhas, lençóis e assim por diante, o que havia e o que seria necessário comprar.

Então, ele e Cooper, dispensando os Caltons por enquanto, começaram a ver a casa. Sua topografia não é importante para esta história. As grandes salas do andar térreo eram satisfatórias, especialmente a biblioteca, que era tão grande quanto a sala de jantar e tinha três janelas altas voltadas para o leste. O quarto preparado para Humphreys ficava imediatamente acima dela. Havia muitas fotos antigas agradáveis e algumas realmente interessantes. Nenhum dos móveis era novo, e quase nenhum dos livros era posterior aos anos setenta.

Depois de ouvir e ver as poucas mudanças que seu tio havia feito na casa e contemplar um retrato brilhante dele que adornava a sala de estar, Humphreys foi forçado a concordar com Cooper com toda probabilidade; haveria pouco para atraí-lo a seu ancestral. Ficava bastante triste por não poder lamentar pelo homem, *dolebat se dolere non posse*. Alguém de puro sentimento de bondade para com o sobrinho desconhecido e que tanto contribuíra para o seu bem-estar, pois ele sentia que Wilsthorpe era um lugar em que poderia ser feliz, e poderia ser especialmente feliz em sua biblioteca.

E agora era hora de examinar o jardim. Os estábulos vazios podiam esperar, e as toalhas também. Então, dirigiram-se ao jardim, e logo ficou evidente que Srta. Cooper estava certa ao pensar que havia possibilidades. Além disso, Sr. Cooper tinha feito bem em manter o jardineiro. O falecido Sr. Wilson pode não ter se inspirado, na verdade, claramente não tinha, nas últimas modas sobre jardinagem, mas o que quer que tenha sido feito aqui, foi feito sob os olhos de um homem experiente, pois o equipamento e o trabalho eram excelentes. Cooper ficou encantado com o prazer que Humphreys demonstrou e com as sugestões que ele deixava escapar de vez em quando.

— Posso ver que o senhor encontrou o seu lar aqui, Sr. Humphreys — disse ele. — O senhor fará deste lugar um local memorável antes que muitas estações tenham passado sobre nossas cabeças. Eu gostaria que Clutterham estivesse aqui, ele é o jardineiro-chefe. E aqui estaria ele, é claro, como disse, não fosse pelo fato de o filho estar com febre. Pobre sujeito! Gostaria que ele soubesse como esse lugar o impacta.

— Sim, o senhor me disse que ele não poderia estar aqui hoje, e lamento muito saber o motivo, mas amanhã haverá tempo. O que é aquela construção branca na colina ao final do passeio na grama? É o templo que Srta. Cooper mencionou?

— É sim, Sr. Humphreys, o Templo da Amizade. Construído em mármore, trazido da Itália para esse fim, pelo avô de seu falecido tio. Talvez interesse ao senhor passar por lá? O senhor pode ter uma vista muito adorável do parque.

As linhas gerais do templo eram as do Templo de Sibila em Tivoli, coberto por uma cúpula, porém o todo era bem menor. Alguns relevos sepulcrais antigos foram marcados na parede, e sobre tudo isso havia um sabor agradável de grande aventura. Cooper pegou a chave e, com alguma dificuldade, abriu a pesada porta.

Dentro havia um teto bonito, mas pouca mobília. A maior parte do chão estava ocupada por uma pilha de grossos blocos circulares de pedra, cada um com uma única letra profundamente marcada em sua superfície superior ligeiramente convexa.

— Qual é o significado disso? — perguntou Humphreys.

— Significado? Bem, todas as coisas, disseram-nos, têm seu propósito, Sr. Humphreys. Suponho que esses blocos tiveram os seus, assim como as demais coisas. Mas qual é ou foi esse propósito — Sr. Cooper assumiu uma atitude didática —, eu, por exemplo, não poderia lhe mostrar, senhor. Tudo o que sei deles, e tudo se resume em poucas palavras, é apenas que dizem que foram retirados do labirinto por seu falecido tio um momento antes de eu aparecer. Isso, Sr. Humphreys, é...

— Ah, o labirinto! — exclamou Humphreys. — Eu tinha esquecido! Precisamos dar uma olhada. Onde está?

Cooper o levou até a porta do templo e apontou com sua bengala ao dizer um pouco à maneira do Segundo Ancião em *Susanna* de Handel:

— *Para o oeste, dirija seus tensos olhos*
Para onde sua alta azinheira sobe aos céus.

E continuou:

— Guie seu olho pela minha bengala aqui e siga a linha diretamente oposta ao local onde estamos agora, e eu tentarei fazê-lo ver, Sr. Humphreys, o arco que está sobre a entrada. O senhor o verá apenas no final da caminhada, de acordo com o que leva até esta mesma construção. O senhor pensou em ir para lá imediatamente? Se for esse o caso, devo ir para a casa e pegar a chave. Se o senhor continuar andando, eu volto em alguns instantes.

Assim, Humphreys seguiu o caminho que levava ao templo, passou pela frente do jardim da casa e subiu pela passagem coberta de relva para o arco que Cooper havia apontado. Ele ficou surpreso ao descobrir que todo o labirinto era cercado por um alto muro e que o arco tinha um portão de ferro trancado, mas logo se lembrou de que Srta. Cooper tinha falado da objeção de seu tio em deixar alguém entrar naquela parte do jardim. Ele estava agora no portão, mas Cooper não apareceu. Por poucos minutos ele ocupou-se lendo o lema escrito sobre a entrada:

Secretum meum mihi et filiis domus meae

Tentou lembrar-se da referência que ali estava, mas logo ficou impaciente e considerou a possibilidade de escalar a parede. Isso claramente não valeria a pena. Poderia ser feito se ele estivesse usando um terno mais velho. Seria possível forçar o antigo cadeado? Não, aparentemente não. No entanto, quando ele deu um último chute irritado no portão, algo cedeu e a fechadura caiu a seus pés. Ele empurrou o portão, incomodado por várias urtigas ao fazê-lo, e entrou no local.

Era um labirinto de teixos dispostos em forma circular, e as cercas vivas, há muito não aparadas, haviam crescido e crescido até larguras e alturas nada regulares. Os caminhos também eram intransponíveis. Somente ignorando totalmente os arranhões, as picadas de urtiga e a umidade é que Humphreys foi capaz de forçar seu trajeto ao longo deles. Porém, de qualquer forma, refletiu ele, essa disposição das coisas tornaria mais fácil para ele reencontrar o caminho de saída, pois deixou um rastro muito visível. Até onde conseguia lembrar-se, ele nunca havia entrado em um labirinto antes, nem lhe parecia agora ter perdido muita coisa. A umidade, a escuridão, o cheiro de grama esmagada e de urtigas eram tudo menos alegres. Ainda assim, não parecia ser um espécime muito complexo de seu tipo. Aqui estava ele, quase no coração do labirinto, sem pensar muito no caminho que seguia. De qualquer modo, Cooper chegara finalmente? Não!

Ah! Ali estava finalmente o centro, facilmente alcançado. E havia algo para recompensá-lo. Sua primeira impressão foi que o detalhe central era um relógio solar, mas, quando retirou uma parte da espessa vegetação de espinheiros e trepadeiras que se formara sobre ele, viu que era uma decoração menos comum. Uma coluna de pedra com cerca de um metro de altura e, no topo, um globo de metal gravado, cobre, a julgar pela pátina verde, e finamente gravada também, com figuras em contorno e letras. Foi isso que viu Humphreys, e uma breve olhada nas figuras o convenceu de que se tratava de uma daquelas coisas misteriosas chamadas globos celestes, dos quais, seria possível supor, ninguém jamais obteve informação alguma sobre os céus. No entanto, estava muito escuro, pelo menos no labirinto, para que ele examinasse essa curiosidade de perto. Além disso, agora ouvia a voz de Cooper e sons como os de um elefante na selva. Humphreys o chamou para seguir a trilha que ele havia deixado, e logo Cooper apareceu ofegante no círculo central. Ele estava cheio de desculpas por seu atraso, afinal não havia conseguido encontrar a chave.

— Mas aqui está! — disse ele. — O senhor entrou no coração do mistério sem ajuda e sem auxílio, como diz o ditado. Ótimo! Suponho que seja uma questão de trinta a quarenta anos desde que qualquer pé humano tenha pisado nesses locais. Certamente nunca coloquei os pés neles antes. Muito bem, muito bem!

Qual é o velho provérbio sobre os anjos que temem pisar? Provou-se verdadeiro mais uma vez neste caso.

O conhecimento de Humphreys junto de Cooper, embora tenha sido curto, foi suficiente para assegurar-lhe que não havia malícia nessa alusão, e ele evitou o comentário óbvio, apenas sugerindo que era hora de voltar para casa para uma xícara tardia de chá e para liberar Cooper para seu encontro noturno. Eles deixaram o labirinto adequadamente, experimentando quase a mesma facilidade em refazer o caminho como fizeram ao entrar.

— O senhor tem alguma ideia do motivo que tinha meu tio para manter aquele lugar tão cuidadosamente trancado? — perguntou Humphreys enquanto se dirigiam para a casa.

Cooper sobressaltou-se, e Humphreys sentiu que devia estar à beira de uma revelação.

— Eu simplesmente estaria enganando o senhor, Sr. Humphreys, e sem nenhum propósito, se reivindicasse possuir qualquer informação sobre o assunto. Quando eu comecei minhas funções aqui, cerca de dezoito anos atrás, aquele labirinto era palavra por palavra na condição que o senhor vê agora, e a única ocasião em que a questão surgiu dentro do meu conhecimento foi o de que minha filha fez menção diante da sua presença. Senhora Wardrop escreveu solicitando a permissão de entrar no labirinto, e não tenho uma palavra que dizer contra ela. Seu tio mostrou-me a anotação, uma anotação muito cortês, tudo o que se poderia esperar de algo assim. E ele disse: "Cooper, gostaria que o senhor respondesse a essa anotação em meu nome". "Certamente, Sr. Wilson", eu disse, pois estava bastante acostumado a atuar como seu secretário. "Qual resposta devo dar a ela?" "Bem", respondeu ele, "dê meus cumprimentos à Senhora Wardrop e diga-lhe que, se alguma vez aquela parte do terreno for ocupada, terei o maior prazer em dar-lhe a primeira oportunidade de vê-lo, mas que foi fechado há vários anos, e serei grato a ela se gentilmente não insistir no assunto." E essa, Sr. Humphreys, foi a última palavra de seu bom tio sobre a questão, e não acho que possa acrescentar nada a isso.

Porém acrescentou Cooper após uma pausa:

— A menos que possa ser apenas isto, mas, até onde sou capaz de julgar, ele não gostava, como as pessoas muitas vezes fazem por um motivo ou outro, da memória de seu avô, que, como mencionei ao senhor, tinha projetado aquele labirinto. Um homem de méritos peculiares, Sr. Humphreys, e um grande viajante. No próximo sábado o senhor terá a oportunidade de ver a placa em homenagem a ele em nossa pequena paróquia; foi colocada muito tempo depois de sua morte.

— Oh! Eu deveria ter suspeitado que um homem que tinha tanto gosto pela construção tivesse projetado um mausoléu para si mesmo.

— Bem, nunca notei nada do tipo que o senhor menciona e, de fato, pensando bem, não tenho certeza de que seu local de descanso esteja dentro de nossos limites. Estou bastante confiante de que não é o caso. Curioso agora que não deveria estar em posição de informá-lo sobre esse assunto! Ainda assim, afinal, não podemos dizer, Sr. Humphreys, que é um ponto de importância crucial onde os restos mortais estão depositados. Vamos?

Nesse ponto, eles entraram na casa, e as especulações de Cooper foram interrompidas.

O chá foi servido na biblioteca, onde Sr. Cooper tratou de assuntos apropriados ao cenário.

— Uma bela coleção de livros! Uma das melhores! Tenho ouvido dos conhecedores desta parte do país, e há preciosidades esplêndidas também em algumas dessas obras. Lembro-me de seu tio mostrando-me um com vistas de cidades estrangeiras; o mais atraente era que se construía em um estilo primoroso. E outro que era todo feito à mão, com a tinta tão fresca como se tivesse sido aplicada no dia anterior, e, no entanto, ele me disse, era obra de um velho monge feita há centenas de anos. Sempre me interessei muito por literatura. Quase nada em minha mente pode se comparar com uma boa hora de leitura após um árduo dia de trabalho. Algo muito melhor do que perder a noite inteira na casa de amigos, e disso me lembro, com certeza. Terei problemas com minha esposa se não fizer o melhor possível para voltar para casa e me preparar para desperdiçar uma noite dessa mesma maneira! Preciso ir, Sr. Humphreys.

— E isso *me* lembra algo — disse Humphreys. — Se vou mostrar o labirinto para a Srta. Cooper amanhã, devemos limpá-lo um pouco. O senhor poderia dizer isso a alguma pessoa apropriada?

— Ora, com certeza. Dois homens com foices poderiam abrir uma trilha amanhã pela manhã. Deixarei recado ao passar pela casa dos criados e direi a eles, o que o poupará do trabalho, talvez, Sr. Humphreys, de ir até lá e pedir-lhes por si mesmo. É melhor que tenham alguns gravetos ou uma fita para marcar o caminho à medida que avançam.

— É uma ótima ideia! Sim, faça isso, e espero Sra. e Srta. Cooper à tarde e o senhor por volta das dez e meia da manhã.

— Será um prazer, tenho certeza, tanto para elas quanto para mim, Sr. Humphreys. Boa noite!

Humphreys jantou às oito. Não fosse o fato de ser sua primeira noite, e de Calton evidentemente estar inclinado a conversas ocasionais, ele teria terminado o romance que comprara para a viagem. Do jeito que estava, teve de ouvir algumas das impressões de Calton sobre a vizinhança e a estação, bem como responder às tais. A última, ao que parecia, era adequada, e a primeira tinha mudado consideravelmente, e não totalmente para pior, desde a infância de Calton, que vivera ali. A venda da vizinhança, em particular, havia melhorado muito desde o ano de 1870. Agora era possível obter lá praticamente tudo o que fosse desejado — o que era uma conveniência, porque suponha que qualquer pensamento fosse exigido de um modo repentino, e ele já sabia de tais coisas antes. Ele, Calton, poderia ir até lá, supondo que a loja ainda estivesse aberta, e encomendá-lo, sem que ele o tivesse que solicitar à Paróquia, visto que nos primeiros dias teria sido inútil seguir tal intenção desejando qualquer coisa que não velas, sabão, melado ou talvez um livro de fotos de criança por um centavo. E nove entre dez vezes *seria* solicitado algo mais parecido com uma garrafa de uísque. Pelo menos, no geral, Humphreys achou que estaria preparado para obter um livro no futuro.

A biblioteca era o lugar óbvio para o horário após o jantar. Vela na mão e cachimbo na boca, ele percorreu a sala por algum tempo, fazendo um balanço dos títulos dos livros. Ele tinha toda a predisposição para se interessar por uma biblioteca antiga, e havia todas as oportunidades para ele aqui fazer um conhecimento sistemático de uma, pois havia aprendido com Cooper que não havia catálogo, exceto um muito superficial feito para fins de inventário. A elaboração de um catálogo *raisonné* seria uma ocupação deliciosa para o inverno. Provavelmente havia tesouros que encontrar também e até mesmo manuscritos, se Cooper fosse confiável.

Enquanto observava ao redor, apoderou-se dele uma sensação, como acontece com a maioria de nós em lugares semelhantes, da extrema ilegibilidade de uma grande parte da coleção.

— Suponho que as edições de *Clássicos e Padres*, as de *Cerimônias Religiosas* de Picart e as de *Miscelânea Harleiana* estejam todas muito bem. Porém quem vai ler *Tostatus Abulensis*, ou *Pineda in Job*, ou um livro como este?

Ele escolheu um pequeno in-quarto, solto na encadernação, do qual a etiqueta com letras havia caído, e, observando que o café estava esperando por ele, retirou-se para uma cadeira. Por fim, ele abriu o livro. Deve-se observar que sua condenação repousou totalmente em impressões externas. Por tudo que ele sabia, poderia ter sido uma coleção de peças únicas, mas sem dúvida o exterior estava vazio e feio. Na verdade, era uma coleção de sermões ou reflexões, e mutilados, pois a primeira folha havia sumido. Parecia pertencer ao final do século dezessete. Ele virou as páginas até que seus olhos foram atraídos por uma nota na margem:

Uma Parábola desta Condição Infeliz

Ele pensou que poderia ver quais aptidões o autor poderia ter para a composição imaginativa, e assim se apresentava a passagem:

Eu ouvi ou li, seja na forma de *Parábola,* seja de verdadeira *Relação,* deixo que meu Leitor julgue, de um Homem que, como *Teseu,* na História da

Ática, deveria aventurar-se em um *Labirinto,* e tal fato não foi apresentado na Moda de nossos artistas de *Botânica* desta Época. Porém, de uma ampla bússola, na qual, além disso, tais Armadilhas e Artimanhas desconhecidas, ou melhor, tais Habitantes de mau agouro, eram comumente considerados a espreitar, só poderiam ser encontrados no Perigo da própria vida. Agora é possível ter certeza de que, em tal Caso, as Informações de Amigos não seriam necessárias.

— Considera alguém tendo sido do jeito que imaginaste e nunca mais tenha sido visto — diz um Irmão.

— Ou algum outro que se tenha aventurado apenas um pouco e daquele dia em diante está tão perturbado em seu Raciocínio que não pode dizer o que viu nem passou uma boa noite — diz a Mãe.

— E nunca ouviste falar que Rostos foram vistos olhando para as *Colunas* e entre as Barras do Portão?! — grita um Vizinho.

Mas nem tudo funcionou. O Homem foi colocado em seu Propósito, pois parece que era comum Falar ao lado da Fogueira daquela Vila que no Coração e Centro deste *Labirinto* havia uma Joia de tal Valor e Raridade que enriqueceria o seu Descobridor por toda sua vida e que ela deveria ser dele por direito se ele fosse capaz de perseverar ao chegar até lá. E agora? *Quid multa*? O Aventureiro ultrapassou os Portões e, por um dia inteiro, seus Amigos não tiveram notícias dele, exceto por alguns Gritos indistintos ouvidos ao longe durante a noite, como os fez girar em suas camas inquietas e suar por muito Medo, não duvidando que seu Filho e Irmão tivessem colocado mais um no *Catálogo* daqueles infelizes que tiveram sofrido um naufrágio naquela viagem.

Então, no dia seguinte, eles foram com lágrimas chorosas até o Clérigo da Paróquia para ordenar que o Sino fosse tocado. E dessa Forma levou-os com dificuldade até o portão do *Labirinto,* pelo qual eles teriam se apressado, pelo Horror que tinham dele, mas que avistaram de repente o Corpo de um Homem caído no Caminho e subindo até ele, de modo que Antecipações podem ser facilmente calculadas, descobriram que era ele a quem consideravam um perdido e não um morto, embora estivesse em um Estado mais parecido com a Morte.

Eles, então, que haviam saído em Luto, voltaram satisfeitos e começaram por todos os meios a tentar reviver seu Pródigo. Aquele que, voltando a si mesmo, e ouvindo sobre suas Ansiedades e sua Missão daquela Manhã, disse:

— Sim, posso muito bem terminar o que estava prestes a fazer, pois, por tudo, eu trouxe de volta a Joia. — Assim mostrou a eles, e era realmente uma peça rara. — Eu trouxe de volta com ela, que não me deixará nem Descanso à Noite nem Prazer ao Dia.

Em seguida, eles foram imediatamente junto dele para descobrir seu Significado e onde deveria estar sua Companhia, que estava tão dolorida contra seu Estômago. Ele diz:

— Oh! Está aqui em meu Peito. Não posso fugir disso, farei o que puder.

Portanto, não foi necessário nenhum Mago para ajudá-los a adivinhar que era a Lembrança do que ele tinha visto que o perturbava tão imensamente. Porém, não conseguiram mais dele por um longo Tempo, exceto por Ajustes e Inícios. No entanto, por fim, fizeram uma mudança para obter algo da natureza a seguir.

A princípio, enquanto o Sol brilhava, ele continuou alegre, e sem nenhuma Dificuldade alcançou o Coração do *Labirinto* e pegou a Joia, e então partiu em seu caminho de volta contentando-se. Porém, enquanto a noite caía, *enquanto todas as Feras da floresta se moviam*, ele começou a se dar conta de que alguma Criatura mantinha o Ritmo dele e, como pensava, *espreitava e olhava para ele* de um Beco próximo ao em que ele estava.

Quando ele estava prestes a parar, esse Companheiro parava também, o que o colocava em alguma Desordem de seus Espíritos. E, de fato, à medida que a Escuridão aumentava, parecia-lhe que havia mais de um e poderia ser até mesmo um Bando inteiro de tais Seguidores, ou pelo menos assim ele julgou pelo Farfalhar e Balançar que eles mantinham entre os matagais. Além disso, houve em um Momento um Som de Sussurros, que parecia indicar uma Reunião deles. No entanto, em relação a quem eles eram ou de que Forma eram, ele não seria persuadido a dizer o que pensava. Quando seus Ouvintes lhe perguntaram quais eram os Gritos que ouviram na Noite, como foi observado acima, ele lhes deu este Relato:

Por volta da meia-noite, tanto quanto era capaz de julgar, ouviu seu Nome ser chamado de muito longe, e poderia jurar que fora seu Irmão que o havia chamado. Assim, ele ficou parado e ouviu novamente o Tom da Voz dele e supôs que o *Eco*, ou o Barulho de seu Grito, se disfarçava no Momento junto de qualquer som menor. Assim, quando houve um Silêncio novamente, ele distinguiu um Passo pouco alto de Pés correndo vindo para muito perto dele, com o que ele estava tão amedrontado, que ele mesmo começou a correr, e assim continuou até o Amanhecer. Às vezes, quando sua Respiração falhava, ele se Lançava ao chão e esperava que seus Perseguidores não o derrotassem na Escuridão, mas em tal Momento eles faziam regularmente uma Pausa e ele podia ouvi-los ofegar e fungar como um Cão Doente, o que criou nele um Horror mental tão intenso, que ele foi forçado a se controlar novamente para virar-se e tentar por algum meio possível afastar-se do cheiro.

> E, como se esse Esforço em si não fosse terrível o suficiente, ele tinha diante de si o Medo constante de cair em algum Buraco ou Armadilha, das quais ele tinha ouvido falar, e de fato viu com seus próprios Olhos que havia vários, alguns nas Laterais e outros no meio dos Becos. De modo que, enfim, uma Noite mais terrível nunca foi passada pela Criatura Mortal do que aquela que ele suportou naquele *Labirinto*, nem aquela Joia que ele tinha em sua Carteira, nem a mais rica que já foi trazida das Índias, poderia ser uma recompensa suficiente para ele pelas dores que havia sofrido.
>
> Pouparei para escrever a próxima Descrição das Dificuldades deste Homem, visto que estou confiante de que a Inteligência de meu Leitor atingirá o *Paralelo* que desejo traçar. Pois esta Joia não é um justo Emblema da Satisfação que um Homem pode trazer consigo de um Curso dos Prazeres deste Mundo? E não servirá o *Labirinto* para uma Imagem do próprio Mundo onde tal Tesouro, se é possível acreditar na Voz comum, está escondido?

A essa altura, Humphreys pensou que um pouco de Paciência seria uma mudança agradável e que o "aprimoramento" de sua Parábola pelo escritor poderia ser deixado por sua própria conta. Então, colocou o livro de volta em seu lugar anterior, perguntando-se enquanto o fazia se seu tio alguma vez havia tropeçado naquela passagem e, se sim, se tinha acreditado em sua fantasia a ponto de fazê-lo não gostar da ideia de um labirinto, e resolvera fechar o que possuía no jardim. Pouco depois, ele foi para a cama.

O dia seguinte trouxe uma manhã de trabalho árduo com Sr. Cooper, o qual, embora exuberante na linguagem, tinha os negócios da propriedade nas mãos. Humphreys estava muito animado esta manhã, e Sr. Cooper também. Ele não tinha esquecido a ordem para limpar o labirinto; o trabalho acontecia naquele momento e sua menina estava nas expectativas finais com relação a isso. Ele também esperava que Humphreys tivesse dormido o sono dos justos, e que todos fossem favorecidos com a continuação daquele clima.

No almoço, ele se aproximou dos quadros na sala de jantar e apontou o retrato do construtor do templo e do labirinto. Humphreys examinou isso com considerável interesse. Era obra de um italiano e tinha sido pintado enquanto o velho Sr. Wilson visitava Roma quando jovem. Havia, de fato, uma vista do Coliseu ao fundo. Um rosto magro e pálido e olhos grandes eram os traços característicos. Na mão estava um rolo de papel parcialmente desdobrado, no qual se distinguia a planta de um edifício circular, muito provavelmente o templo, e também parte de um labirinto. Humphreys subiu em uma cadeira para examiná-lo, mas não estava pintado com clareza suficiente para ser copiado. Isso, no entanto, deu-lhe a ideia de que ele poderia muito bem fazer um projeto de seu próprio labirinto e pendurá-lo na mansão para uso dos visitantes.

Essa sua determinação foi confirmada naquela mesma tarde, pois, quando Sra. e Srta. Cooper chegaram, ansiosas para serem levadas ao labirinto, ele descobriu que era totalmente incapaz de conduzi-las até o centro. Os jardineiros haviam removido as marcas-guia que estavam usando, e até mesmo Clutterham, quando convocado para ajudar, ficou tão desamparado quanto os outros.

— A questão é, o senhor vê, Sr. Wilson... Digo, Humphreys, esses labirintos são propositadamente construídos de maneira muito parecida, com o objetivo de enganar. Ainda assim, se me seguir, acho que posso guiá-lo corretamente. Vou apenas colocar minha marcação aqui como ponto de partida.

Ele se afastou e, depois de cinco minutos, trouxe a proteção segura para o local novamente.

— Isso é uma coisa muito peculiar — disse ele, com uma risada tímida. — Eu me certifiquei de que deixei isso bem perto de um arbusto e, o senhor pode ver por si mesmo, não há nenhum arbusto nesse caminho. Se me permite, Sr. Humphreys, é esse seu nome, não é, senhor? Vou chamar um dos homens para marcar o local dessa forma.

William Crack chegou, em resposta aos repetidos chamados. Ele teve alguma dificuldade em se dirigir ao local. Primeiro ele foi visto ou ouvido em um caminho interno, depois, quase ao mesmo tempo, em um caminho externo. Porém, finalmente juntou-se a eles e foi primeiro consultado sem efeito e depois posicionado perto do local, que Clutterham ainda considerou necessário deixar marcado no chão.

Apesar dessa estratégia, eles gastaram quase três quartos de hora em perambulações infrutíferas, e Humphreys foi finalmente obrigado, vendo como Sra. Cooper estava ficando cansada, a sugerir um retiro para o chá, com muitas desculpas à Srta. Cooper.

— De qualquer forma, a senhorita venceu sua aposta com a senhorita Foster, pois esteve dentro do labirinto — disse Humphreys. — E prometo que a primeira coisa que farei será fazer um mapa apropriado com as linhas marcadas para que a senhorita siga.

— É isso o mais desejado, senhor — disse Clutterham. — Alguém para traçar um mapa e manter-se com ele. Pode ser muito estranho, o senhor vê, qualquer um que entra naquele lugar e vê uma chuva cair, não consegue encontrar o caminho de volta novamente. Pode levar horas até que possa ser retirado, sem permitir que seja feito um atalho pelo meio; quero dizer derrubar algumas árvores em cada borda em uma linha reta para ser possível ter uma visão clara. É claro que isso acabaria com o labirinto, e não sei se o senhor aprovaria isso.

— Não, eu não vou autorizar ainda que isso seja feito. Eu farei um mapa primeiro e lhe darei uma cópia. Mais tarde, se encontrarmos alguma ocasião, pensarei no que disse.

Humphreys ficou aborrecido e envergonhado com o fiasco da tarde e não se contentou sem fazer outro esforço naquela noite para chegar ao centro do labirinto. Sua irritação aumentou por encontrá-lo sem um único passo em falso. Ele pensou em começar seu mapa imediatamente, mas a luz estava diminuindo e ele sentiu que, quando tivesse reunido os materiais necessários, o trabalho seria impossível.

Consequentemente, na manhã seguinte, carregando uma prancheta, lápis, compasso, blocos de papel e assim por diante, alguns dos quais haviam sido emprestados dos Cooper e alguns encontrados nos armários da biblioteca, ele foi até o meio do labirinto, novamente sem nenhuma hesitação, e tirou seus materiais. No entanto, demorou a começar.

As árvores e plantas que haviam encoberto a coluna e o globo foram agora todas removidas, e foi pela primeira vez possível ver claramente como eram. A coluna era desprovida de traços característicos, parecendo aquelas nas quais os relógios de sol são normalmente colocados. Já o globo não. Eu disse que estava finamente gravado com figuras e inscrições e que, à primeira vista, Humphreys o considerou um globo celestial, mas logo descobriu que não correspondia ao seu conhecimento de tais objetos. Uma característica parecia familiar, uma serpente alada, *Draco*, colocada de modo circular no lugar que, em um globo terrestre, é ocupado pelo equador. E por outro lado, uma boa parte do hemisfério superior estava coberta pelas asas estendidas de uma grande figura cuja cabeça era escondida por um anel no polo do globo. Ao redor da cabeça, as palavras *princeps tenebrarum* podiam ser decifradas. No hemisfério inferior havia um espaço hachurado por completo com linhas cruzadas e marcado como *umbra mortis*. Perto dele havia uma cadeia de montanhas e, entre elas, um vale com chamas que saíam dela. Ali foi escrito (O leitor ficará surpreso ao saber?):

Vallis filiorum Hinnom

Acima e abaixo de *Draco* estavam delineadas várias figuras semelhantes às imagens das constelações comuns, mas não iguais. Assim, um homem nu com uma clava elevada foi descrito, não como *Hércules*, mas como *Caim*. Outro, mergulhado até o meio na terra e estendendo os braços desesperados, estava como *Core*, não como *Serpentário*, e um terceiro, pendurado pelos cabelos em uma árvore serpenteante, era *Absalão*. Perto do último, um homem em mantos longos e chapéu alto, em pé em um círculo e dirigindo-se a dois demônios peludos que pairavam do lado de fora, foi descrito como o *Magus Hostanes* (um personagem desconhecido para Humphreys).

O esquema do todo, de fato, parecia ser uma reunião dos patriarcas do mal, talvez não sem a influência de um estudo de Dante. Humphreys achou que era uma exibição incomum do gosto de seu bisavô, mas refletiu que provavelmente o havia adquirido na Itália e nunca se dera ao trabalho de examiná-lo de perto. Certamente, se tivesse dado muita importância a ele, não o teria exposto ao vento e ao clima. Ele bateu no metal que parecia oco e não muito grosso e, virando-se, passou a se dedicar a seu mapa.

Depois de meia hora de trabalho, ele percebeu que era impossível prosseguir sem usar uma marcação, e então pegou um rolo de barbante de Clutterham e estendeu-o ao longo dos caminhos da entrada ao centro, amarrando a extremidade ao anel no topo do globo. Este recurso o ajudou a traçar o mapa de um caminho antes do almoço, e durante tarde ele foi capaz de desenhá-lo com mais nitidez. Perto da hora do chá, Sr. Cooper juntou-se a ele e ficou muito interessado em seu progresso.

— Agora isso... — disse Sr. Cooper, colocando a mão no globo e puxando-o apressadamente. — Nossa! Mantém o calor, não é? E em um grau surpreendente, Sr. Humphreys. Suponho que este metal... Cobre, não é? É um isolante ou condutor, ou o que quer que eles chamem.

— O sol está muito forte esta tarde, mas não percebi que o globo estava quente. — disse Humphreys, evitando o ponto científico, e logo acrescentou: — Na verdade, não parece muito quente para mim.

— Estranho! — disse Sr. Cooper. — Agora mal posso aguentar minha mão sobre ele. Suponho que tenha algo de diferente em nossa temperatura. Ouso dizer que o senhor é um sujeito frio, Sr. Humphreys, e eu não. Aí está a diferença. Durante todo este verão dormi, se o senhor acreditar em mim, praticamente *no mesmo lugar*, e minha banheira matinal estava o mais fria possível. Dia após dia e dia não... Deixe-me ajudá-lo com esse barbante.

— Está tudo bem, obrigado, mas, se o senhor recolher alguns desses lápis e coisas que estão por ai, ficarei muito grato. Agora acho que temos tudo e podemos voltar para a casa.

Eles deixaram o labirinto, Humphreys enrolando o barbante enquanto seguiam.

A noite estava chuvosa.

Infelizmente, descobriu-se que, por culpa de Cooper ou não, o mapa tinha sido a única coisa esquecida no local durante a tarde. Como era de se esperar, foi arruinado pela água. Não havia nada que fazer a não ser começar de novo. O trabalho não seria longo desta vez. A marcação, portanto, foi colocada no lugar mais uma vez, e um novo começo feito. Porém Humphreys não tinha feito muito antes de receber uma interrupção que veio na forma de Calton junto de um telegrama. Seu antigo chefe em Londres queria consultá-lo. Apenas uma breve entrevista parecia desejada, mas a convocação era urgente. Isso foi irritante, mas não foi realmente perturbador. Havia um trem disponível em meia hora e, a menos que as coisas fossem muito difíceis, ele poderia estar de volta, possivelmente às cinco horas, certamente às oito. Ele deu o mapa para que Calton levasse para casa, mas não valia a pena retirar a marcação.

Tudo correu como ele esperava. Ele passou uma noite bastante emocionante na biblioteca, pois essa noite iluminou um armário onde alguns dos livros mais raros estavam guardados. Quando foi para a cama, ficou feliz em descobrir que o criado tinha se lembrado de deixar suas cortinas e suas janelas abertas. Ele apagou a luz e foi até a janela que dava para ver o jardim e o parque. Era uma noite brilhante ao luar. Em algumas semanas, os ventos sonoros do outono quebrariam toda essa calma. Agora, no entanto, a floresta distante estava em profunda quietude, as encostas dos gramados brilhavam com orvalho, e as cores de algumas flores quase podiam ser adivinhadas. A luz da lua apenas atingiu a parte superior do templo e a curvatura de sua cúpula de chumbo. Humphreys tinha de admitir que, assim vistos, esses conceitos de uma época passada têm uma verdadeira beleza. Em suma, a luz, o perfume da floresta e o silêncio absoluto convocaram associações tão gentis em sua mente, que ele continuou observando tudo por um longo, longo tempo.

Ao se afastar da janela, ele sentiu que nunca tinha visto nada mais completo que aquilo. A única característica que o deixou surpreso e com uma sensação de incongruência foi um pequeno teixo irlandês, fino e escuro, que se destacou como um local distante dos arbustos que cercavam o labirinto. Isso, pensou ele, poderia muito bem estar afastado, mas a maravilha era que alguém pensou que ficaria bem em tal posição.

Na manhã seguinte, no entanto, na confusão de respostas a cartas e de revisão de livros com Sr. Cooper, o teixo irlandês foi esquecido. Uma carta, por sinal, chegou nesse dia e deve ser mencionada. Era daquela Senhora Wardrop, que Srta. Cooper havia mencionado, e renovava o pedido que dirigira a Sr. Wilson. Em primeiro lugar, alegou que estava prestes a publicar um *Livro dos Labirintos* e desejava sinceramente incluir o mapa do *Labirinto de Wilsthorpe*. Disse também que seria uma grande bondade se Sr. Humphreys pudesse deixá-la vê-lo, em algum momento, em um encontro próximo, já que ela logo teria de partir para o exterior durante os meses de inverno. Sua casa em Bentley não estava muito distante, então Humphreys foi capaz de enviar um bilhete à mão para ela sugerindo o dia seguinte ou um dia próximo para sua visita. Pode se dizer de uma vez que o mensageiro trouxe de volta uma resposta mais grata, no sentido de que o dia seguinte seria admiravelmente perfeito.

O único outro evento do dia era o mapa do labirinto, e foi concluído com sucesso.

Esta noite novamente foi bela, brilhante e calma, e Humphreys demorou-se quase o mesmo tempo em sua janela. O teixo irlandês voltou à sua mente quando ele estava prestes a fechar as cortinas, mas ou ele havia sido enganado por uma sombra na noite anterior, ou a planta não era realmente tão indiscreta quanto ele imaginara. De qualquer forma, ele não via razão para interferir nisso. O que ele *eliminaria*, no entanto, era uma união de plantas escuras que ocupava um lugar contra a parede da casa e ameaçava cobrir uma das janelas mais baixas. Não parecia que valesse a pena mantê-las. Ele as imaginava úmidas e insalubres, pelo menos aquelas que ele era capaz de ver.

No dia seguinte (era uma sexta-feira, e ele tinha chegado a Wilsthorpe em uma segunda-feira), Senhora Wardrop veio em seu carro logo após o almoço. Ela era uma mulher idosa e robusta, muito falante de todas as maneiras e particularmente inclinada a se tornar agradável a Humphreys, que a havia gratificado muito pela pronta aceitação de seu pedido. Eles fizeram uma exploração completa do lugar juntos, e a opinião de Senhora Wardrop sobre seu anfitrião obviamente subiu quando ela descobriu que ele realmente sabia algo de jardinagem. Ela entrou com entusiasmo em todos os seus planos de melhoria, mas concordou que seria um vandalismo interferir no traçado característico do terreno próximo à casa. Ela ficou particularmente encantada com o templo e disse:

— Sabe, Sr. Humphreys, acho que o seu oficial deve estar certo sobre aqueles blocos de pedra com letras. Um dos meus labirintos, lamento dizer que as pessoas estúpidas o destruíram, estava em um lugar em Hampshire e tinha uma marcação dessa forma. Havia ladrilhos lá, mas com letras iguais às suas, e as letras, colocadas na ordem certa, formavam uma inscrição... Não lembro bem o que era, mas era algo sobre Teseu e Ariadne. Eu tenho uma cópia dela assim como do mapa do labirinto onde estava escrita. Como as pessoas podem fazer essas coisas? Nunca lhe perdoarei se *o senhor* arruinar seu labirinto. Sabia que eles estão se tornando muito incomuns? Quase todos os anos ouço falar de um sendo destruído. Agora, vamos direto ao ponto, ou, se o senhor estiver muito ocupado, conheço o caminho até lá perfeitamente e não tenho medo de me perder nele. Sei muito sobre labirintos para isso. Embora eu me lembre de ter perdido meu almoço, não há muito tempo também, por ter me perdido naquele em Busbury. Bem, é claro, se o senhor *conseguir* vir comigo, tudo será mais agradável.

Após este confiante início, a justiça pareceria exigir que Senhora Wardrop tivesse sido irremediavelmente confundida pelo labirinto de Wilsthorpe. Nada desse tipo aconteceu, porém é duvidoso que ela tenha obtido todo o prazer que esperava de seu novo exemplo. Ela estava interessada, profundamente interessada, em ter certeza, e apontou para Humphreys uma série de pequenas depressões no chão que, ela pensou, marcou os lugares dos blocos inscritos. Ela também disse a ele que outros labirintos se assemelhavam mais a essa organização e explicou como geralmente era possível datar um labirinto em quase vinte anos por meio de seu mapa. Este, ela já sabia, deve ser de algo próximo a 1780, e suas características eram exatamente o que se poderia esperar. O globo, além disso, a impressionou completamente. Foi único em sua experiência, e ela o examinou durante muito tempo.

— Eu gostaria de esfregar isso, se for possível — pediu ela.
— Sim, tenho certeza de que seria muito gentil com relação a isso, Sr. Humphreys, mas acredito que não tentaria por conta própria, de fato. Eu não gostaria de tomar nenhuma liberdade aqui. Tenho a sensação de que pode ser invasivo. Agora, confesse... — continuou ela, virando-se e enfrentando Humphreys. — O senhor não sente, não sentiu desde que entrou aqui, como se uma vigilância estivesse sendo mantida sobre nós, e que, se ultrapassássemos a marca de alguma forma, haveria um... Bem, um ataque? Não? Eu sim. E eu não me importo com o tempo que levaremos para estar fora do portão.

Humphreys não respondeu, e, quando estavam mais uma vez a caminho da casa, Senhora Wardrop disse:

— Bom, pode ter sido apenas a falta de ar e o calor intenso daquele lugar que pressionou meu cérebro. Mesmo assim, retiro uma coisa que disse. Não tenho certeza se não vou perdoar-lhe, afinal, se descobrir na próxima primavera que aquele labirinto foi destruído.

— Quer isso seja feito, quer não, a senhora terá o mapa, Senhora Wardrop. Eu fiz um e, o mais tardar esta noite, posso enviar-lhe uma cópia.

— Admirável! Um traçado a lápis é tudo o que eu quero, com uma indicação da escala. Posso facilmente alinhá-lo com o resto dos meus mapas. Muito, muito obrigada.

— Muito bem, a senhora poderá tê-lo amanhã. Gostaria que pudesse ajudar-me com uma solução do meu quebra-cabeça.

— Qual? Essas pedras na casa de veraneio? Isso é um quebra-cabeça. Elas não estão em nenhum tipo de ordem? Claro que não. Mas os homens que os derrubaram devem ter tido alguns direcionamentos; talvez o senhor tenha um papel sobre isso entre as coisas do seu tio. Se não, terá de chamar alguém especialista em códigos.

— Avise-me sobre outra coisa, por favor — disse Humphreys. — Aquele arbusto embaixo da janela da biblioteca, sabe? A senhora o mandaria embora, não é?

— Qual? Aquele? Oh, eu acho que não — respondeu Senhora Wardrop. — Não consigo ver muito bem a essa distância, mas não é feio.

— Talvez a senhora esteja certa, mas, olhando pela minha janela, logo acima dela, ontem à noite, eu pensei que tivesse muito espaço. Parece que não, como se vê daqui, certamente. Muito bem, vou deixá-la sozinha por um tempo.

O chá foi o próximo assunto, e logo depois dele a Senhora Wardrop foi embora. No entanto, na metade do caminho, ela parou o carro e acenou para Humphreys, que ainda estava nos degraus da porta da frente. Ele correu para ouvir suas palavras de despedida, que foram:

— Só me ocorreu que pode valer a pena olhar para a parte de baixo dessas pedras. Elas *devem* ter sido numeradas, não? *Adeus* de novo. Para casa, por favor.

A ocupação principal desta noite, de qualquer forma, foi resolvida. O desenho do mapa para a Senhora Wardrop e a comparação cuidadosa dele com o original significava um trabalho de algumas horas, pelo menos. Assim, logo depois das nove horas, Humphreys teve seus materiais colocados na biblioteca e começou. Foi uma noite ainda abafada, as janelas tinham de ficar abertas, e ele teve mais de um encontro horrível com um morcego. Esses episódios irritantes fizeram-no manter a atenção de seus olhos na janela. Uma ou duas vezes, foi questionado se havia não um morcego, mas algo mais considerável, que pretendia juntar-se a ele. Seria muito desagradável se alguém escorregasse silenciosamente pelo peitoril e estivesse agachado no chão!

O desenho do mapa foi feito. Ele permaneceu para compará-lo com o original e para ver se algum caminho havia sido fechado ou deixado aberto por engano. Com um dedo em cada papel, ele traçou o caminho que deve ser seguido desde a entrada. Houve um ou dois pequenos erros, mas aqui, perto do centro, havia uma confusão ruim, provavelmente devido à entrada do Segundo ou Terceiro Morcego. Antes de corrigir a cópia, ele seguiu para fora cuidadosamente nas últimas curvas do caminho no original. Estes, pelo menos, estavam certos e levavam sem problemas para o espaço do meio. Aqui havia uma característica que não precisava ser repetida na cópia, uma feia mancha preta do tamanho de uma moeda. Tinta? Não. Parecia um buraco, mas como poderia haver um buraco ali? Ele olhou aquilo com olhos cansados. O trabalho de cópia tinha sido muito difícil e ele estava sonolento e cansado... Mas certamente esse era um buraco muito estranho. Parecia seguir não só através do papel, mas através da mesa em que estava. Sim, e através do chão abaixo dela, para baixo, e ainda para baixo, mesmo em infinitas profundezas. Ele se esticou sobre aquilo, totalmente confuso.

Assim como, quando se é criança, é possível vasculhar uma polegada quadrada de um lençol até que se torne uma paisagem com colinas arborizadas, talvez até igrejas e casas, e ali se perde todo o pensamento sobre o verdadeiro tamanho de si mesmo e dela; assim esse buraco parecia a Humphreys, no momento, a única coisa no mundo. Por alguma razão, foi horrível para ele desde o início, mas olhou para aquilo por alguns momentos antes que qualquer sentimento de ansiedade viesse sobre ele. Em seguida surgiu um horror cada vez mais forte para que algo pudesse emergir dele e uma convicção realmente agonizante de que um terror estava a caminho, de cuja visão ele não seria capaz de escapar. Oh, sim, muito, muito lá embaixo, havia um movimento, e o movimento era para cima, em direção à superfície. Cada vez mais perto surgia e era de uma cor cinza-escuro e com mais de um buraco escuro. Ele tomou forma como um rosto, um rosto humano, um rosto humano *queimado* e com as contorções repulsivas como as de uma vespa forçando-se para fora de uma maçã podre; surgiu uma forma aparente, agitando os braços escuros preparados para segurar a cabeça que estava curvada sobre eles. Com uma convulsão de desespero, Humphreys jogou-se para trás, bateu a cabeça contra uma lâmpada pendurada e caiu.

Houve concussão cerebral, choque no sistema e um longo confinamento na cama. O médico ficou muito intrigado, não com os sintomas, mas com um pedido que Humphreys lhe fez assim que ele conseguiu dizer alguma coisa.

— Eu gostaria que o senhor abrisse o globo no labirinto.

— Quase não há espaço suficiente, creio eu — foi a melhor resposta que ele conseguiu reunir —, mas está mais no seu caminho do que no meu. Meus dias de exploração acabaram.

Assim que Humphreys murmurou e virou-se para dormir, o médico insinuou às enfermeiras que o paciente ainda não estava fora da floresta. Quando ele foi mais capaz de expressar suas opiniões, Humphreys deixou seu significado claro e recebeu uma promessa de que a coisa deveria ser feita de uma vez. Ele estava tão ansioso para saber o resultado, que o médico, que parecia um pouco pensativo na manhã seguinte, viu que mais mal do que bem seria feito ao guardar seu relatório.

— Bem, receio que o globo tenha sumido, o metal era muito fino, suponho — disse ele. — De qualquer forma, tudo ficou em pedaços com o primeiro golpe do cinzel.

— Então? Continue! Faça! — disse Humphreys impaciente.

— Oh! O senhor quer saber o que encontramos nele, é claro. Bem, estava meio cheio de coisas como cinzas.

— Cinzas? O que o senhor fez com elas?

— Eu não examinei completamente ainda, mal houve tempo. Porém Cooper concluiu, ouso dizer por algo que disse, que é um caso de cremação... Agora não se excite, meu bom senhor. Sim, eu devo dizer que creio que ele provavelmente está certo.

O labirinto se foi, e Senhora Wardrop perdoou a Humphreys. Na verdade, acredito que ele se casou com a sobrinha dela. Ela estava certa, também, em sua suposição de que as pedras no templo estavam numeradas e inscritas. Havia uma letra pintada na parte inferior de cada uma. Algumas delas tinham se desgastado, mas o suficiente permaneceu para permitir que Humphreys reconstruísse a inscrição. Assim era apresentada:

Penetrans ad interiora mortis.

Grato como Humphreys estava à memória de seu tio, ele não poderia perdoar-lhe por ter queimado os diários e cartas de James Wilson, que tinha presenteado Wilsthorpe com o labirinto e o templo. Quanto às circunstâncias da morte e do enterro daquele ancestral, nenhuma tradição sobreviveu, mas sua vontade, que era quase seu único registro acessível, atribuiu um legado extraordinariamente generoso a um criado que tinha um nome italiano.

A opinião de Sr. Cooper é que, humanamente falando, todos esses muitos eventos solenes têm um significado para nós, se nossa inteligência limitada permitisse nosso esquecimento. Enquanto Sr. Calton lembrou-se de uma tia que agora se foi, que, próximo ao ano de 1866, tinha sido perdida por mais de uma hora e meia no labirinto em Covent Gardens, ou poderia ser Hampton Court.

Uma das coisas mais estranhas de toda a série de transações é que o livro que continha a Parábola desapareceu completamente. Humphreys nunca foi capaz de encontrá-lo desde que ele copiou o mapa para enviar à Senhora Wardrop.

"É seguro dizer que poucos escritores, vivos ou mortos, o igualaram nesta formidável necromancia e talvez ninguém o tenha superado."

The Weird Works of MR James, ensaio de 1934 de Clark Ashton Smith.

VICTORIAN ERA. Montague Rhodes James Biografy. Disponível em: http://victorian--era.org/victorian-authors/montague-rhodes-james-biography.html. Acesso em abril de 2021.

INFORMAÇÕES SOBRE NOSSAS PUBLICAÇÕES
E ÚLTIMOS LANÇAMENTOS

instagram.com/pandorgaeditora

facebook.com/editorapandorga

editorapandorga.com.br